C0-ALE-751

Enid Blyton

Os CINCO

Enid Blyton

Os CINCO

NA ILHA DO TESOURO

OFICINA DO LIVRO

www.oficinadolivro.pt

Publicado pela prmeira vez em 1942.
Este livro foi publicado por Oficina do Livro, Sociedade Editorial, Lda.
uma empresa do grupo LeYa
Rua Cidade de Córdova, n.º 2
2610-038 Alfragide
Tel.: 210 417 410 Fax: 214 717 737
E-mail: info@oficinadolivro.leya.com

TÍTULO ORIGINAL: *Five on a Treasure Island*
TRADUÇÃO: Mariana Avelãs
REVISÃO: Silvina de Sousa
PAGINAÇÃO: Leya
CAPA: Neusa Dias/ Oficina do Livro, sobre ilustração de Marta Teives
IMPRESSÃO E ACABAMENTO: Multitipo

1.ª edição: Setembro de 2011
5.ª edição: Maio de 2012

ISBN 978-989-555-774-5
DEPÓSITO LEGAL N.º 343 565/12

NOTA DA NETA DE ENID BLYTON

Bem-vindos à nova coleção de Os Cinco, de Enid Blyton. São 21 livros e todo um mundo de mistérios e aventuras para explorar. A minha avó, a Enid Blyton, escreveu o primeiro livro de Os Cinco (*Os Cinco na Ilha do Tesouro*) em 1942, em plena Segunda Guerra Mundial (1939-45). Nessa aventura, o Júlio, o David e a Ana conhecem a prima Maria José e o cão dela, o *Tim*. Rapidamente percebem que é melhor *nunca* a tratarem por Maria José! Juntos vão explorar túneis e grutas, descobrir passagens secretas e resolver crimes.

Conheci Os Cinco numa edição em áudio de *Os Cinco e a Ilha dos Murmúrios*. O Júlio, o David, a Zé e o *Tim* tinham descoberto que gostavam de salsichas, e parecia que não conseguiam parar de as comer. Mas as salsichas ficam para depois, quando uma senhora bate à porta do Casal Kirrin e lhes pede para irem fazer companhia ao neto numa quinta remota, enquanto ela vai fazer uma viagem. A aventura começa mal veem a Ilha dos Murmúrios, quando se dirigem de bicicleta à quinta para conhecerem o Alfredo.

O *Tim* foi sempre a minha personagem preferida. Consegue julgar as pessoas sem se enganar, e, quando ele está por perto, as crianças sentem-se sempre em segurança. E não fiquem a pensar que eu tenho medo de uma boa aventura! Desde que vi a série na televisão nos anos 70, em que o *Tim* é um *border collie*, que quero ter um cão igual!

E tu... qual é que achas que vai ser a tua personagem preferida?

Sophie Smallwood, 14 de Junho de 2010

ÍNDICE

1. UMA GRANDE SURPRESA

— Mãe, já decidiram o que vamos fazer nas férias grandes? — perguntou o Júlio durante o pequeno-almoço. — Podemos ir para Polseath, como é costume?

— Acho que não. Este ano estão cheios — respondeu a mãe.

As três crianças entreolharam-se, muito desiludidas. Adoravam a casa em Polseath, e a praia era perfeita para nadar.

— Animem-se! — disse o pai. — Havemos de encontrar outro sítio igualmente bom para vocês. Mas este ano a mãe e eu não vamos convosco... A mãe já vos disse?

— Não! — exclamou a Ana, surpreendida. — Mas os pais passam sempre as férias connosco!

— Bem, desta vez o pai e eu fizemos planos para ir à Escócia — respondeu a mãe. — Os dois sozinhos. Vocês já são os três crescidinhos para tomarem conta de si próprios, e nós achámos que iam adorar a ideia de passarem as férias sem nós. Mas agora que Polseath é impossível, não sei mesmo para onde hão de ir.

— Que tal o Alberto? — sugeriu o pai, de repente.

O Alberto era irmão do pai, tio das crianças. Mas elas só o tinham visto uma vez e acharam-no deveras assustador. Era muito alto e carrancudo, um cientista inteligente que passava a vida a estudar. Vivia ao pé do mar — mas as crianças pouco mais sabiam acerca dele!

— O Alberto? Porque é que te lembraste dele? Não me parece que lhe agrade a ideia de ter crianças a armar confusão numa casa tão pequena.

— Bem, há dias encontrei a mulher dele na rua e fiquei com a impressão de que as coisas não lhes andam a correr lá muito bem. A Clara disse que estão a pensar em arranjar um hóspede por uns tempos, para fazerem mais dinheiro. A casa é à beira-mar, como sabes. Talvez seja o ideal para os miúdos. E a Clara é amorosa, podia olhar por eles.

— Tens razão. E também têm uma filha... como é que se chama? É um nome pouco comum... Já sei: Maria José! Que idade terá? Uns onze anos, penso eu.

— Então tem a minha idade — interveio o David. — É tão estranho termos uma prima que nunca vimos! Deve sentir-se bastante sozinha... Eu tenho o Júlio e a Ana para brincar, mas a Maria José não tem ninguém. Aposto que vai ficar contente por nos ver!

— Por acaso, a tua tia Clara disse mesmo que a Maria José ia gostar de ter companhia — concordou o pai. — Sabem, acho que o problema fica resolvido se telefonarmos à Clara para saber se os miúdos podem ir para lá. Seria uma grande ajuda para ela, e tenho a certeza de que a

Maria José gostava de ter alguém com quem brincar durante as férias. E nós temos a certeza de que os nossos três ficam em boas mãos.

As crianças começaram a ficar entusiasmadas. Haveria de ser divertido ir para um sítio novo e ficar em casa de uma prima que não conheciam.

— Há falésias e rochas e praias de areia? E o sítio é bonito? — perguntou a Ana.

— Não me lembro bem — respondeu o pai. — Mas tenho a certeza de que é fantástico e que vocês vão adorar! Chama-se baía de Kirrin. A vossa tia Clara viveu lá a vida toda, e não a trocava por nada deste mundo.

— Oh, pai, ligue já para a tia Clara e pergunte-lhe se podemos ir para lá! — gritou o David. — Por favor! Tenho a sensação de que é o local perfeito e de que vamos ter uma aventura qualquer!

— Dizes sempre isso, aonde quer que vás — respondeu o pai, a rir. — Mas está bem, vou ligar-lhe já para ver se pode ser.

Já todos tinham acabado o pequeno-almoço, mas ficaram à espera de que o pai regressasse do átrio, onde estava o telefone.

— Espero que corra tudo bem. Como será a Maria José? É um nome engraçado, não é? Parece mais nome de rapaz do que de rapariga. Se ela tem onze anos, é um ano mais nova do que eu, é da idade do David e um ano mais velha do que tu, Ana. Deve encaixar bem connosco. Vamos divertir-nos tanto! — disse o Júlio.

O pai voltou ao fim de dez minutos e, pelo sorriso, as crianças perceberam logo que as notícias eram boas.

— Está tudo resolvido. A tia Clara ficou delirante. Diz que vai ser bom para a Maria José ter companhia, porque é uma menina muito solitária, anda sempre sozinha de um lado para o outro. A Clara vai adorar tomar conta de vocês. Têm é de ter cuidado para não incomodar o tio Alberto. Anda a trabalhar imenso, e não fica propriamente bem-disposto quando o incomodam.

— Nem vai dar por nós dentro de casa — sossegou-o o David. — Quando é que vamos, pai?

— Para a semana, se a mãe estiver de acordo.

A mãe assentiu com a cabeça.

— Sim, não há muita coisa para preparar — só fatos de banho, camisolas e calças de ganga, a mesma coisa para todos.

— Vai ser tão bom voltar a andar de calças de ganga! — festejou a Ana, a dançar de um lado para o outro. — Estou farta do uniforme da escola. Quero andar de calças e fato de banho, nadar e trepar.

— Não tarda nada é o que vais fazer — respondeu a mãe, a rir. — Não se esqueçam de separar os brinquedos e livros que querem levar, está bem? E vejam lá se não abusam, não há muito espaço.

— No ano passado, a Ana quis levar os quinze ursinhos de peluche! Lembras-te, Ana? Foi tão cómico! — disse o David.

— Não foi nada! — retorquiu a Ana, corando. — Adoro os meus ursinhos, e não conseguia decidir quais é que havia de levar; por isso, achei que o melhor era levá-los todos. O que é que isso tem de cómico?

— E lembram-se do ano anterior, quando a Ana quis levar o cavalo de baloiço? — continuou o David, soltando uma pequena gargalhada.

A mãe achou melhor intervir.

— Sabem, lembro-me de um menino chamado David, que num ano pôs de parte um urso de peluche, três cães, um gato e um macaco de brincar para levar para Polseath…

Foi a vez de o David corar. Apressou-se a mudar de assunto.

— Pai, vamos de comboio ou de carro?

— De carro. Podemos enfiar tudo no porta-bagagens. Nesse caso… que tal na terça?

— Por mim, está bem — respondeu a mãe. — Podemos levá-los e regressar a tempo de fazer as malas e seguir para a Escócia na sexta-feira. É isso, vamos combinar para terça.

E assim ficou combinado que partiriam na terça-feira. As crianças contavam os dias avidamente, e a Ana riscava-os um a um no calendário todas as noites. A semana pareceu passar muito devagar, mas lá acabou por chegar o dia por que todos ansiavam. O David e o Júlio, que partilhavam o quarto, acordaram mais ou menos ao mesmo tempo e olharam pela janela.

— Está um dia lindo! — gritou o Júlio, saltando da cama. — Não sei porquê, mas parece-me sempre muito importante que faça sol no primeiro dia de férias. Vamos acordar a Ana.

A Ana dormia no quarto ao lado. O Júlio entrou a correr e sacudiu-a.

— Acorda! É terça-feira! E está sol!

A Ana acordou de sobressalto e sorriu ao irmão, feliz.

— Finalmente! Estava a ver que nunca mais chegava! Estou tão excitada por ir de férias!

Fizeram-se à estrada logo a seguir ao pequeno-almoço. O carro era espaçoso, por isso ficaram todos confortavelmente instalados. A mãe ia à frente com o pai, e as três crianças atrás, com duas malas aos pés. A bagageira estava a abarrotar, com uma pequena arca e mais mil e uma coisas. A mãe tinha a certeza de que não se tinham esquecido de nada.

E lá percorreram as ruas apinhadas de Londres, primeiro devagar, depois mais depressa, conforme iam deixando a cidade para trás. Não tardou muito até chegarem ao campo, onde o carro já podia acelerar. As crianças cantavam, como sempre acontecia quando se sentiam felizes.

— Ainda falta muito para o piquenique? — perguntou a Ana, subitamente cheia de fome.

— Um bocadinho, Ana. Ainda são só onze horas, e não vamos almoçar antes do meio-dia e meia — respondeu a mãe.

— Oh, mãe! — protestou a Ana. — Não consigo aguentar tanto tempo!

A mãe deu-lhe um pedaço de chocolate, que ela e os irmãos saborearam, felizes da vida, enquanto viam as colinas, matas e campos que o carro deixava para trás.

O piquenique foi fantástico. Instalaram-se no cimo de uma colina, cuja encosta terminava num vale cheio de sol. A Ana não gostou lá muito de uma grande vaca castanha que se aproximou e ficou a olhar para ela, mas o pai enxotou-a. As crianças comeram com apetite, e a mãe avisou que, em vez de fazerem um novo piquenique às quatro e meia, teriam de parar num café qualquer para lanchar, pois tinham devorado as sandes da tarde juntamente com as do almoço!

— A que horas chegamos a casa da tia Clara? — perguntou o Júlio, enquanto engolia a última sandes, desejando que houvesse mais.

— Com um bocadinho de sorte, por volta das seis — respondeu o pai. — Alguém quer esticar um bocadinho as pernas? Ainda temos um longo caminho pela frente.

O carro parecia devorar quilómetros, embalado pelo som do motor. Chegou a hora do lanche e as três crianças ficaram de novo entusiasmadas.

— Estejam atentos ao mar — sugeriu o David. — Já lhe sinto o cheiro, não pode estar longe.

E tinha razão. O carro chegou ao fim de uma subida... e ali estava ele, um mar azul cintilante, calmo e liso sob o céu da tarde. As três crianças gritaram de alegria.

— Lá está ele!

— Não é lindo?

— Oh, quero ir já nadar!

— Daqui a uns vinte minutos estamos na baía de Kirrin. Viemos a um bom ritmo. Não tarda vão ver a baía. É enorme, com uma espécie de ilha à entrada — disse o pai.

As crianças olharam pela janela, enquanto o carro avançava ao longo da costa, à espera de ver a baía. De repente, o Júlio exclamou:

— Cá está! Deve ser a baía de Kirrin! Olha, David... não é linda e azul?

— E vejam aquela ilhota cheia de rochas a guardar a entrada da baía. Gostava mesmo de ir lá! — exclamou o David.

— É claro que vais — retorquiu a mãe. — E agora vamos estar atentos, para ver se descobrimos a casa da tia Clara. Chama-se Casal Kirrin.

Encontraram-na sem problemas. Ficava numa pequena falésia sobre a baía e era de facto muito antiga. Não era verdadeiramente um casal, mas antes uma casa de grandes dimensões, com paredes de pedra branca. A parte da frente estava coberta por rosas, e o jardim cheio de flores.

— Aqui está o Casal Kirrin — anunciou o pai, estacionando o carro mesmo em frente. — Diz-se que tem cerca de trezentos anos! E agora, por onde andará o Alberto?... Ah, aí vem a Clara!

2. UMA PRIMA ESTRANHA

A tia Clara estava à espera do carro. Quando o viu parar, saiu a correr pela velha porta de madeira, e as crianças simpatizaram com ela mal a viram.

— Bem-vindos a Kirrin! Olá a todos! É tão bom ver-vos!

Depois de beijos e mais beijos, as crianças entraram em casa. E gostaram — tinha um ar antiquado e algo misterioso, e os móveis também eram antigos e muito bonitos.

— Onde está a Maria José? — perguntou a Ana, olhando em volta, à procura da prima que ainda não conhecia.

— Oh, que rapariga tão desobediente! Disse-lhe que ficasse no jardim à vossa espera. Mas deve ter ido a algum lado. Aviso-vos desde já: se calhar, ao princípio vão achar a Zé um bocadinho difícil. Como sabem, ela está habituada a andar sempre sozinha, e nos primeiros tempos pode não achar muita piada à vossa presença. Mas não liguem, passa-lhe depressa. Foi também por ela que fiquei tão contente quando soube que vinham. Ela precisa mesmo de outras crianças para brincar — explicou a tia Clara.

— Mas chama-lhe Zé? Pensei que o nome dela fosse Maria José — comentou a Ana, surpreendida.

— E é. Mas a Zé odeia ser rapariga, e temos de lhe chamar Zé, como se fosse um rapaz. A marota não responde se a tratarmos por Maria José.

As crianças acharam que a Maria José parecia muito invulgar e desejaram que ela chegasse depressa. Mas não foi isso que aconteceu. Em vez dela, foi o tio Alberto que apareceu, vindo do nada. Tinha um ar absolutamente extraordinário: muito alto e moreno, com um impressionante sobrolho franzido.

— Boas tardes, Alberto! Há anos que não te via. Espero que estes três aqui não te incomodem muito quando estiveres a trabalhar — cumprimentou o pai.

— O Alberto está a trabalhar num livro muito complicado — adiantou a tia Clara. — Mas tem um escritório só para ele na outra ponta da casa, por isso não vai ser incomodado de certeza.

O tio olhou para as três crianças e cumprimentou-as com um aceno silencioso. Mas nem por um instante desfranziu o sobrolho, e as crianças gostaram de saber que trabalhava noutra parte da casa…

— Onde está a Zé? — perguntou, numa voz profunda.

— Foi dar outra volta qualquer. Disse-lhe que ficasse aqui à espera dos primos? — respondeu a tia Clara, sem disfarçar alguma irritação.

— Está mesmo a precisar de um castigo a sério — observou o tio Alberto, deixando as crianças sem saber se estava a brincar ou não. — Bem, meninos... espero que se divirtam por aqui e que consigam enfiar algum juízo na cabeça da Zé!

Não havia espaço no Casal Kirrin para o pai e a mãe passarem a noite, por isso jantaram à pressa e fizeram-se de novo à estrada. Iam dormir num hotel na vila mais próxima. E como queriam regressar a Londres imediatamente a seguir ao pequeno-almoço, despediram-se logo dos filhos.

Ainda não havia sinais da Zé.

— Tenho pena de não termos visto a Maria José. Mandem-lhe beijinhos nossos e digam-lhe que esperamos que ela goste de brincar com o David, o Júlio e a Ana — disse a mãe.

E foram-se embora. As crianças sentiram-se um bocadinho desamparadas ao ver o carro a desaparecer na curva da estrada, mas a tia Clara levou-os escada acima, para lhes mostrar os quartos, e a tristeza desapareceu num ápice.

O Júlio e o David iam ficar juntos no sótão, num quarto com telhado inclinado. A vista sobre a baía era fantástica, e os rapazes ficaram absolutamente maravilhados. A Ana ia dormir com a Maria José num quarto mais pequeno situado nas traseiras, cujas janelas davam para a charneca. Mas uma das janelas laterais tinha vista sobre o mar, o que lhe agradou imenso. Era um quarto bem bonito, com rosas vermelhas a espreitar pela janela.

— Quem me dera que a Maria José chegasse... Estou tão curiosa — confessou à tia.

— Olha... ela é uma rapariga peculiar. Às vezes é muito mal-educada e arrogante, mas tem bom coração, é extremamente leal e nunca mente. Quando descobrir que gosta de vocês, verás que é para sempre; mas ela tem imensa dificuldade em fazer amigos, o que é uma pena.

De súbito, a Ana soltou um bocejo. Os rapazes fulminaram-na com os olhos, porque sabiam bem o que se seguiria... e não se enganaram.

— Pobre Ana, estás mesmo de rastos! Vão todos já para a cama, para terem uma boa noite de sono e amanhã acordarem frescos que nem uma alface — recomendou a tia.

— Ana, *és* mesmo uma idiota! — acusou o David, furioso, quando ficaram sozinhos. — Sabes bem o que acontece quando começas a abrir a boca em frente de adultos! E eu que ainda queria ir um bocadinho à praia hoje...

— Desculpem... Não consegui evitar. E agora estás *tu* a abrir a boca. E o Júlio também!

E estavam mesmo. O cansaço invadia-os aos três, depois de uma viagem tão longa. No fundo, todos desejavam enfiar-se na cama e fechar os olhos.

— Por onde andará a Maria José? Não é estranho? Não ficou à nossa espera, não veio jantar e ainda não apareceu. E vai dormir no meu quarto, sabe-se lá a que horas chegará! — comentou a Ana, antes de desejar boa-noite aos irmãos e se retirar para o seu quarto.

Já os três dormiam profundamente quando a Maria José foi para a cama. Não a ouviram a abrir a porta do quarto da Ana, nem a despir-se ou a lavar os dentes. Nem tão-pouco escutaram a cama a ranger quando ela se deitou. Estavam tão cansados que não ouviram absolutamente nada até o sol os acordar na manhã seguinte.

Quando a Ana abriu os olhos, não se recordava onde estava. Deixou-se ficar aconchegada na cama, a olhar para o teto inclinado e para as rosas vermelhas que acenavam pela janela aberta... e de repente lembrou-se!

«Estou na baía de Kirrin — e começaram as férias!», disse para si mesma, esperneando de alegria.

Foi então que olhou para a outra cama. Havia alguém bem enrolado debaixo dos cobertores, e a Ana só conseguia ver um tufo de caracóis na almofada. Quando o vulto se mexeu ligeiramente, a Ana abordou-o:

— Olá! És a Maria José?

A rapariga na outra cama sentou-se e olhou para a Ana. Tinha o cabelo encaracolado, muito curto, uma cara morena e uns olhos muito azuis, brilhantes como miosótis. Mas tinha uma expressão carrancuda e um sobrolho franzido igual ao do pai.

— Não, não sou a Maria José — retorquiu.

— Oh... — disse a Ana, surpreendida. — Então quem és?

— Sou a Zé. E só respondo se me tratarem por Zé. Odeio ser rapariga e recuso-me a comportar-me como tal. Não suporto as coisas que as raparigas fazem; gosto de fazer tudo como os rapazes. Trepo melhor do que qualquer um, e também nado mais depressa. Remo tão bem como qualquer pescador nesta costa. Ou me chamas Zé, ou não falo contigo.

— Oh! — repetiu a Ana, começando a pensar que a prima era mesmo um caso à parte. — Está bem. É-me indiferente. Até acho Zé um nome bonito, e nem gosto muito de Maria José. E tu pareces mesmo um rapaz.

— A sério? — A testa da Zé pareceu descontrair por momentos. — A mãe ficou fula quando cortei o cabelo. Antes tinha o cabelo até aos ombros, era horrível.

As duas raparigas fitaram-se mutuamente.

— E tu? Não odeias ser rapariga? — perguntou a Zé.

— Claro que não! Sabes, eu gosto de vestidos bonitos... e adoro os meus peluches.

— Quem é que quer saber de vestidos bonitos? — exclamou a Zé, com desprezo na voz. — E peluches! Está visto que *és* um bebé, não há mais nada a dizer.

A Ana ficou ofendida.

— E tu não és lá muito bem-educada. Os meus irmãos não te vão ligar puto se andares para aí a achar que sabes tudo. E eles são rapazes *a sério*, e não a fingir, como tu!

A Zé saltou da cama.

— Por mim, se não me tratarem bem, eu é que não *lhes* ligo nenhuma. Eu nem queria que vocês viessem para cá para se meterem na minha vida. Estou muito bem sozinha. E agora tenho de aturar uma miúda parva que gosta de vestidos e peluches, e mais dois primos parvos!

A Ana achou que estavam a começar com o pé errado, por isso calou-se e vestiu-se. Escolheu umas calças de ganga velhas e uma camisola vermelha. A Zé também vestiu umas calças de ganga e uma camisola de rapaz. Quando estavam prontas para sair, os rapazes bateram à porta.

— Já acordaram? Está aí a Maria José? Prima Maria José, vem dizer-nos olá!

A Zé empurrou a porta e saiu disparada, de cabeça erguida. Ignorou completamente os dois rapazes e desceu as escadas. Os três irmãos ficaram a olhar uns para os outros.

— Não responde se a tratarem por Maria José — explicou a Ana. — Achei-a mesmo muito estranha, sabem? Disse que não nos queria cá porque vamos meter-nos na vida dela. E gozou comigo, foi mesmo desagradável.

O Júlio abraçou a irmã, que não parecia muito feliz.

— Deixa estar! Tens-nos aos dois para te defender. Anda, vamos descer para o pequeno-almoço.

Estavam os três esfomeados, e o cheiro a ovos com *bacon* era absolutamente delicioso. Desceram as escadas a correr e deram os bons-dias à tia, que tinha acabado de trazer o pequeno-almoço para a mesa. O tio estava sentado à cabeceira, a ler o jornal, e acenou às crianças. Sentaram-se em silêncio, sem saber se podiam conversar à mesa. Em casa faziam-no sempre, mas o tio Alberto parecia tão severo!

A Zé já estava à mesa, a barrar uma torrada com manteiga. Olhou com desagrado para os primos.

— Não ponhas essa cara, Zé — avisou a mãe. — Espero que já sejam todos amigos. Vai ser divertido brincarem juntos. Hoje vais levar os teus primos a conhecer a baía e mostrar-lhes os melhores sítios para tomar banho.

— Eu vou pescar — respondeu a Zé.

O pai levantou imediatamente os olhos do jornal.

— Não vais, não. Vais portar-te bem e ser bem-educada, para variar, e levas os teus primos à praia, ouviste?

— Sim — cedeu a Zé, com um ar carrancudo igualzinho ao do pai.

— Nós podemos ir explorar a baía sozinhos, se a Zé quiser ir pescar — disse logo a Ana, pensando que a Zé não seria certamente uma companhia muito agradável se estivesse contrariada.

— A Zé vai fazer exatamente o que lhe mandam. E se não fizer, terá de se haver comigo. — O tio Alberto pôs fim à questão.

E assim, após o pequeno-almoço, as quatro crianças foram arranjar-se para ir à praia. Desceram a encosta, felizes, por um caminho fácil que ia ter diretamente à baía. Até a Zé desfranziu o sobrolho quando sentiu o calor do Sol e viu o mar a cintilar lá em baixo.

— Podes ir pescar, se quiseres — disse-lhe a Ana, quando chegaram à praia. — Nós não dizemos a ninguém. Não queremos interferir com a tua vida, está descansada. Fazemos companhia uns aos outros, e não tens de estar connosco se não te apetecer.

— Mas nós gostávamos muito que ficasses connosco, se quiseres — contrapôs o Júlio, generosamente.

Também ele considerava a prima brusca e mal-educada, mas não conseguia deixar de achar piada ao ar empertigado, cabelo curto e olhos brilhantes da rapariga, sempre com uma expressão amuada no rosto.

A Zé olhou-o nos olhos.

— Veremos. Não sou amiga de ninguém só porque são meus primos ou outra parvoíce qualquer. Só sou amiga das pessoas de quem gosto.

— Nós também. E podemos não gostar de ti, já te ocorreu?

— Oh! — exclamou a Zé, como se tal coisa nunca lhe tivesse passado pela cabeça. — É claro que podem não gostar de mim. Estariam longe de ser os únicos, agora que penso nisso.

A Ana olhava para a baía azul. Na entrada, havia uma ilha cheia de rochas, tendo no topo o que parecia ser um castelo em ruínas.

— Não é um sítio estranho? Pergunto-me como se chamará.

— Chama-se ilha de Kirrin — informou a Zé.

Virou os olhos da cor do mar, ainda mais brilhantes, para a ilhota.

— E é um sítio maravilhoso. Se gostar de vocês, talvez vos leve lá. Mas não prometo nada. Só se consegue lá chegar de barco.

— E a quem pertence a ilha esquisita? — perguntou o Júlio.

A resposta da Zé deixou-os de boca aberta:

— É minha. Pelo menos, *vai ser* minha. Um dia vou ter a minha própria ilha e o meu próprio castelo.

3. UMA HISTÓRIA INCRÍVEL E UM NOVO AMIGO

As três crianças fitaram a Zé, completamente apanhadas de surpresa.

Ela devolveu-lhes o olhar.

— Que queres dizer com isso? A ilha de Kirrin não pode ser tua, estás só a armar-te — acusou o David.

— Não estou nada. Perguntem à minha mãe. E se não acreditam em mim, nunca mais vos conto nada. Mas olhem que eu nunca minto. Só os cobardes é que não dizem a verdade, e eu não sou cobarde.

O Júlio lembrou-se de que a tia Clara lhes tinha dito que a Zé nunca mentia. Coçou a cabeça e voltou a olhar para a prima. Como é que podia ser verdade?

— Bem, claro que acreditamos em ti, se nos disseres a verdade. Mas isso parece tão extraordinário, tens de compreender... Normalmente as crianças não têm ilhas, nem mesmo ilhotas esquisitas como aquela — acabou por dizer.

— *Não é* uma ilha esquisita coisa nenhuma! É maravilhosa. Tem coelhos o mais mansos possível e corvos-marinhos enormes do outro lado — e toda a espécie de gaivotas. O castelo também é fantástico, apesar de estar completamente em ruínas — respondeu a Zé, num tom furibundo.

— Parece mesmo fantástica! — exclamou o David. — Mas como é que é tua, Maria José?

A Zé deitou-lhe um olhar furioso e não respondeu.

— Desculpa! Não queria chamar-te Maria José, queria dizer Zé — apressou-se o David a corrigir.

— Vá lá, Zé... explica-nos como é que a ilha é tua — pediu o Júlio, enfiando o braço no da prima rabugenta.

Ela afastou-o imediatamente.

— Não faças isso. Ainda não sei se quero ser vossa amiga.

O Júlio perdeu a paciência.

— OK, vamos ser inimigos, se é esse o teu desejo. Para nós é igual. Mas gostamos da tua mãe, e não queremos que ela pense que somos nós que não queremos ser teus amigos.

— Gostam da minha mãe? — Os olhos azuis da Zé pareceram suavizar-se um pouco. — Ela é amorosa, não é? Então está bem, eu digo-vos porque é que a ilha de Kirrin é minha. Venham sentar-se aqui neste canto, onde ninguém nos ouve.

Sentaram-se num pedaço mais escondido da praia e a Zé olhou para a pequena ilha na enseada.

— É assim: há uns anos, a família da minha mãe era dona de quase todas as terras que existiam por aqui. Mas depois empobreceram e tiverem de vender a maior parte. Não conseguiram vender a ilha, pois nunca apareceu ninguém que quisesse dar alguma coisa por ela, sobretudo porque o castelo está em ruínas há imenso tempo.

— É inacreditável que ninguém tenha querido comprar uma ilha daquelas. Se eu tivesse dinheiro, comprava-a logo! — exclamou o David.

— Tudo o que resta das propriedades da família da minha mãe é a nossa casa, o Casal Kirrin, e uma quinta que não fica assim tão perto — e a ilha de Kirrin. A mãe diz que vai ser minha quando eu crescer. E também diz que não a quer para nada, por isso é como se já fosse minha. Pertence-me, é a minha ilha privada e não deixo ninguém lá ir sem a minha autorização! — acrescentou a Zé.

Os outros três ficaram de boca aberta. Acreditaram em tudo o que ela disse, porque era óbvio que dizia a verdade.

— Oh, Maria José... quero dizer, Zé! — admirou-se o David. — Que sorte! Parece ser uma ilha mesmo fixe. Espero que queiras ser nossa amiga e nos leves lá em breve. Nem imaginas como gostávamos!

— Hum... Talvez — retorquiu a Zé, contente com o interesse que causara. — Veremos. Nunca levei lá ninguém, embora alguns rapazes e raparigas aqui da zona já se tenham fartado de pedir. Mas como não gosto deles, disse sempre que não.

Seguiu-se um momento de silêncio, enquanto as quatro crianças miravam a baía, onde se via a ilha à distância.

A maré estava a vazar, e dava a ideia de que conseguiriam chegar até lá a pé. O David perguntou se era possível.

— Não. Já vos disse; só é acessível de barco. É mais longe do que parece, e as águas são muito profundas. E tem rochas a toda a volta; é preciso saber exatamente por onde passar, para não encalhar. A costa aqui é muito perigosa. Houve imensos navios que naufragaram.

— Navios naufragados! — Os olhos do Júlio iluminaram-se. — Nunca vi nenhum! Há alguns à vista?

— Já não. Foram todos levados, tirando um, do outro lado da ilha, que está mesmo no fundo do mar. Dá para ver o mastro partido se remarmos por cima dele num dia em que o mar esteja calmo e olharmos para o fundo. E esse navio, na verdade, também me pertence.

Desta vez as outras crianças tiveram mesmo dificuldade em acreditar na Zé. Mas ela acenou afirmativamente com convicção.

— A sério. Era um barco de um dos meus tetravós, ou coisa assim. Trazia ouro, barras de ouro enormes, e naufragou ao pé da ilha.

— Oh! — exclamou a Ana, com os olhos muito abertos. — E o que aconteceu ao ouro?

— Não se sabe. Suponho que tenha sido roubado do barco. Já lá foram imensos mergulhadores, como é óbvio, mas nunca encontraram nada.

— Isso promete! Gostava tanto de ver esse barco naufragado — disse o Júlio.

— Bem... talvez dê para irmos hoje à tarde, quando a maré estiver completamente vazia — propôs a Zé. — Hoje o mar está calmo e límpido, consegue-se ver um bocadinho.

— Fantástico! Adorava ver um barco afundado ao vivo — exclamou a Ana.

Os outros riram-se.

— Na verdade, vivo é coisa que não deve estar — gozou o David. — Zé, e se agora fôssemos ao banho?

— Primeiro tenho de ir buscar o *Tim* — disse a Zé, pondo-se de pé.

— Quem é o *Tim*? — perguntou o David.

— Vocês conseguem manter segredo? É que ninguém pode saber lá em casa.

— Vá, diz lá... Qual é o segredo? Podes contar-nos à vontade, não somos queixinhas — respondeu o Júlio.

— O *Tim* é o meu melhor amigo. Não conseguia viver sem ele. Mas a mãe e o pai não gostam dele, por isso tem de ser segredo. Vou agora buscá-lo.

E desatou a correr pelo penhasco acima. Os outros ficaram a vê-la desaparecer, pensando que nunca tinham conhecido uma rapariga tão invulgar.

— Quem será o *Tim*? Possivelmente algum rapaz da zona que desagrada aos pais da Zé — comentou o Júlio.

Deixaram-se ficar estendidos na areia, à espera. Passado pouco tempo, ouviram a voz da Zé do outro lado do penhasco.

— Anda, *Tim*, anda!

Sentaram-se para poderem ver como seria o *Tim*. E o que viram não foi um rapaz, mas antes um grande cão rafeiro castanho, com uma cauda incrivelmente longa e uma boca enorme, que parecia mesmo estar a sorrir! Saltava à volta da Zé, louco de alegria. Os dois aproximaram-se deles a correr.

— Este é o *Tim* — apresentou ela. — Não é perfeito?

Para cão, o *Tim* era tudo menos perfeito: tinha um corpo estranho, uma cabeça grande demais, orelhas muito arrebitadas e uma cauda demasiado extensa, e era completamente impossível identificar a que raça pertenceria. Mas era uma criatura de tal modo alegre, amistosa, tosca e engraçada que as crianças gostaram logo dele.

— Oh, que querido! — exclamou a Ana, recebendo em troca uma lambidela no nariz.

— É brutal! — concordou o David, dando uma palmadinha amigável ao *Tim*, que fez com que o cão desatasse a saltar como louco em torno dele.

— Quem me dera ter um cão assim! — disse o Júlio, que adorava cães e sempre quisera ter um. — Ó Zé, é mesmo fantástico! Deves ter imenso orgulho nele.

A rapariga sorriu e mudou radicalmente de expressão, ficando de súbito radiante e bonita. Sentou-se na areia, com o cão aninhado nela a dar-lhe lambidelas onde quer que encontrasse um pedaço de pele à mostra.

— Adoro-o perdidamente. Encontrei-o na charneca quando ainda era um cachorrinho, há um ano, e levei-o para casa. Ao princípio, a mãe até gostou dele, mas, quando cresceu, tornou-se muito malcomportado.

— O que é que ele fazia? — quis saber a Ana.

— Bom... é um daqueles cães que estão sempre a mastigar. E roeu tudo o que pôde: um tapete novo acabado de comprar, os sapatos preferidos da mãe, os chinelos do pai e alguns dos papéis dele, esse tipo de coisas. E também ladrava muito. Eu gostava, mas o pai nem por isso, queixava-se de que estava a dar com ele em doido. Um dia bateu no *Tim*, e eu fiquei furiosa e respondi-lhe mal.

— E puseram-te de castigo? Não me imagino a responder mal ao teu pai; ele parece tão severo — disse a Ana.

A Zé desviou os olhos para a baía, fazendo de novo uma expressão rancorosa.

— Não importa qual foi o castigo. O pior de tudo foi que o pai disse que eu não podia ficar com o *Tim* e a mãe concordou. Mandaram-no embora. Fartei-me de chorar durante dias a fio — e olhem que eu *nunca* choro, porque isso é coisa de raparigas e eu quero ser como um rapaz.

— Olha que os rapazes às vezes também choram... — começou a Ana, de olhos postos no David, que tinha passado uma fase muito choramingas há uns três ou quatro anos.

Mas o irmão deu-lhe uma cotovelada e ela não disse mais nada.

A Zé olhou para a Ana e disse, teimosamente:

— Os rapazes não choram, ponto. Pelo menos, nunca vi nenhum a chorar, e tento sempre não o fazer; é tão infantil! Mas não consegui evitar quando o *Tim* se foi embora. E ele também se fartou de chorar.

As crianças lançaram ao *Tim* um olhar cheio de respeito. Não faziam ideia de que os cães também podiam chorar.

— O que é que queres dizer com isso? Ele chorou mesmo, com lágrimas e tudo? — perguntou a Ana.

— Não, não foi bem assim. Ele é demasiado corajoso para isso. Chorou com a voz: ganiu e ganiu e ganiu, e tinha um ar tão infeliz que quase me partia o coração. E aí percebi que era impossível separar-me dele.

— E o que aconteceu depois? — inquiriu o Júlio.

— Fui ter com o Alf, um filho de pescadores que é meu amigo, e perguntei-lhe se podia tomar conta do *Tim* por mim, se eu lhe pagasse com todo o dinheiro que fosse arranjando. Ele aceitou, e fá-lo até hoje. É por isso que nunca tenho dinheiro nenhum para gastar noutras coisas: vai todo para o *Tim*. E ele come que se farta, não é, *Tim*?

— Ão-ão — concordou o cão, deitando-se de costas na areia com as patas felpudas no ar. O Júlio fez-lhe cócegas.

— E como é que arranjas dinheiro quando te apetece um doce ou um gelado? — perguntou a Ana, que gastava a maior parte da mesada nessas coisas.

— Não arranjo. Passo sem eles, obviamente.

Isto pareceu muito mal às outras crianças, que adoravam gelados, chocolates e doces em geral. Ficaram a olhar para a Zé.

— Mas suponho que os miúdos que vêm aqui à praia de vez em quando partilhem os deles contigo, não? — comentou o Júlio.

— Não deixo. Como nunca vou poder retribuir, não acho justo aceitar. Por isso, digo sempre que não.

Mesmo a propósito, ouviram o som do carrinho dos gelados à distância. O Júlio apalpou os bolsos e desatou a correr, agitando o dinheiro nos bolsos. Voltou logo a seguir, com quatro gelados de chocolate enormes na mão. Deu um à Ana, outro ao David, e estendeu o último à Zé. Ela ainda olhou para o gelado por uns instantes, mas acabou por abanar a cabeça.

— Não, obrigada. Ouviram o que eu disse. Como não tenho dinheiro para os comprar, e por isso não vou poder partilhar os meus convosco, também não posso aceitar os vossos. Não é justo aceitar coisas se não podemos retribuir pelo menos um bocadinho.

— De nós podes aceitar o que quiseres. Somos teus primos — contestou o Júlio, enquanto tentava enfiar o gelado na mão morena da Zé.

— Não, obrigada — repetiu ela. — Mas é muito simpático da vossa parte.

Encarou o primo com os olhos muito azuis, e o Júlio franziu a testa, tentando encontrar uma maneira de obrigar a teimosa rapariga a aceitar o gelado. Depois sorriu e disse:

— Ouve, tu tens algo que queremos desesperadamente que dividas connosco. Aliás, há imensas coisas que gostávamos que partilhasses connosco, se quiseres. Gostávamos que o fizesses e que nos deixasses partilhar coisas como gelados contigo, OK?

— Que coisas tenho eu que vos interessem? — questionou a Zé, apanhada de surpresa.

— Tens um cão — disse o Júlio, enquanto fazia festas ao grande rafeiro castanho. — Gostávamos muito que o partilhasses connosco, porque ele é fantástico. E tens uma ilha maravilhosa. Também adorávamos que a partilhasses connosco de vez em quando. E ainda tens um barco naufragado, que nós gostávamos muito de ver e dividir. Gelados e doces não são nada ao pé destas coisas. Mas podemos fazer um acordo e dividir o que temos uns com os outros.

A Zé contemplou os olhos castanhos que fitavam os seus. Não conseguia deixar de gostar do Júlio. Mas não estava na sua natureza partilhar o que quer que fosse. Sempre fora uma criança solitária e incompreendida, arisca e com mau feitio. Nunca tivera amigos a sério. O *Tim* olhou para o Júlio e reparou que ele oferecia algo com um ar delicioso e achocolatado à Zé, por isso não fez por menos: deu um salto e lambeu calorosamente o rapaz.

— Estás a ver? O *Tim* quer ser partilhado — brincou o Júlio, a rir. — Ia ser bom para ele ter três novos amigos.

— Pois ia… tens razão — concordou a Zé, cedendo por fim e pegando no gelado de chocolate. — Obrigada, Júlio. Vou partilhar as minhas coisas convosco. Mas prometem que não dizem a ninguém lá em casa que eu ainda tenho o *Tim*?

— Claro que prometemos — sossegou-a o Júlio. — Mas não me parece que o teu pai e a tua mãe se importassem muito, desde que o *Tim* não vivesse lá em casa. E que tal o gelado? Está a saber-te bem?

— É o melhor que comi em toda a vida! — exclamou a Zé, entre trincadelas. — É tão fresquinho! Este ano ainda não tinha comido nenhum. É absolutamente delicioso!

Quando o *Tim* também quis provar o gelado, a Zé deu-lhe umas migalhas do cone. Depois virou-se para os primos e sorriu.

— Vocês são simpáticos! Afinal estou contente por terem vindo. Que acham de pegarmos num barco hoje à tarde e irmos até à ilha para ver o navio?

— Sim! — gritaram os três ao mesmo tempo. E até o *Tim* abanou a cauda como se tivesse percebido.

4. UMA TARDE BEM PASSADA

Nessa manhã, quando foram ao banho, os rapazes descobriram que a Zé nadava muito melhor do que eles. Era extraordinariamente forte e muito rápida, e também conseguia nadar debaixo de água, sustendo a respiração durante imenso tempo.

— Nadas mesmo bem — elogiou o Júlio, deveras impressionado. — É uma pena a Ana não nadar um bocadinho melhor. Vais ter de praticar essas braçadas, Ana, senão não poderás ir tão longe como nós.

À hora de almoço, estavam esfomeados. Fizeram o caminho de regresso pelo penhasco acima, desejando que houvesse imensa comida à espera deles — e havia mesmo! Carnes frias com salada e tarte de ameixa com creme, seguidas de queijo. E não se fizeram rogados...

— Quais são os vossos planos para esta tarde? — perguntou a mãe da Zé.

— A Zé vai levar-nos de barco até à ilha, para vermos o navio naufragado do outro lado — informou a Ana.

A tia Clara ficou muito surpreendida.

— A *Zé* vai levar-vos! — exclamou. — Zé, o que é que te deu? Nunca lá levaste ninguém, embora eu te tenha pedido mil vezes.

A Zé não disse nada, e continuou a comer a tarte de ameixa. Não abriu a boca durante toda a refeição. O tio Alberto não aparecera para o almoço, para alívio das crianças.

— Bem, Zé, tenho de reconhecer que fico muito contente por estares a fazer um esforço para obedecer ao teu pai — recomeçou a mãe.

Mas a Zé abanou a cabeça.

— Não os vou levar para obedecer a ninguém, levo-os porque quero. Jamais levaria alguém de quem não gostasse a ver o meu barco afundado, nem que fosse o rei de Inglaterra.

A mãe riu-se.

— Pelo menos folgo em saber que gostas dos teus primos. Espero que eles também gostem de ti!

— Oh, sim! — interveio logo a Ana, ansiosa por defender a prima. — Gostamos da Zé. E também gostamos do *Ti*...

Estava prestes a dizer que também gostavam do *Tim* quando levou tamanho pontapé no tornozelo que não conseguiu evitar gritar em agonia e que as lágrimas lhe corressem pela face. A Zé fulminou-a com o olhar.

— Zé! Porque é que deste um pontapé à tua prima se ela estava a ser simpática contigo? Sai imediatamente da mesa. Não admito esse comportamento! — ordenou a tia Clara.

A Zé deixou a mesa em silêncio e foi para o jardim. O pão e o queijo que tinha na mão ficaram no prato, e os primos olharam para lá, aflitos — sobretudo a Ana. Como é que tinha sido tonta ao ponto de se esquecer de que não podia mencionar o nome do *Tim*?

— Tia, por favor, chame a Zé de volta! Ela não me queria dar um pontapé, foi um acidente.

Mas a tia estava mesmo muito zangada.

— Acabem de comer. Agora a Zé vai amuar... é uma criança tão difícil!

Os outros não estavam muito preocupados com os amuos da Zé, temiam era que ela se recusasse a levá-los a ver o navio.

Terminaram o almoço em silêncio. A tia foi ver se o tio Alberto, que tinha ficado a comer sozinho no escritório, queria mais tarte. Mal ela abandonou a sala, a Ana pegou no pão e no queijo da Zé e dirigiu-se ao jardim.

Os rapazes não lhe disseram nada. Sabiam que a Ana tinha tendência para falar demais, mas que depois fazia sempre tudo para resolver os problemas que causava. E acharam que era preciso muita coragem para ir ter com a Zé naquele momento.

A Zé estava deitada de costas no jardim, por baixo de uma grande árvore. A Ana dirigiu-se a ela.

— Desculpa, Zé. Estive quase a fazer um grande disparate. Tens aqui o teu pão e o teu queijo. E prometo que não me volto a esquecer de que não podemos falar no *Tim*.

A Zé ergueu-se.

— Começo a achar que não vos levo a ver navio nenhum. E tu não passas de uma bebé parvalhona.

A Ana ficou de rastos — era isto que temia.

— Olha, podes não me levar a mim, claro. Mas isso não quer dizer que não leves os rapazes, Zé. Eles não fizeram nada de mal. Além disso, deste-me um belo pontapé... vê lá a nódoa negra.

A Zé olhou primeiro para a nódoa negra, depois para a prima.

— Mas tu não ias ficar supertriste se eu os levasse e tu não fosses?

— Claro que sim. Mas não quero que eles percam uma coisa que querem tanto por minha causa, mesmo que eu não vá.

Então a Zé fez uma coisa absolutamente surpreendente: deu um abraço à Ana! Mas ficou logo muito atrapalhada, porque lhe ocorreu que era coisa que um rapaz jamais faria. E ela tentava fazer sempre tudo como os rapazes!

— Está bem — disse bruscamente, pegando no pão e no queijo. — Foste muito parva, mas eu dei-te um pontapé, por isso estamos quites. Claro que podes vir connosco hoje à tarde.

A Ana foi a correr dizer aos rapazes que estava tudo resolvido, e um quarto de hora depois já os quatro corriam rumo à praia. Encontraram um rapaz muito moreno, com uns 14 anos, junto ao barco. O *Tim* estava com ele.

— O barco está pronto, Zé. E o *Tim* também! — disse, com um sorriso.

— Obrigada, Alf — agradeceu a Zé, dizendo depois aos primos para entrarem no barco.

O *Tim* também embarcou, com a cauda a abanar sem parar. A Zé empurrou o barco até à rebentação das ondas e depois saltou lá para dentro e pegou nos remos.

Remava com imensa perícia, e o barco sulcou as águas sob o céu muito azul. Estava uma tarde maravilhosa, e as crianças adoraram o movimento do barco sobre a água. O *Tim* foi para a proa, ladrando de cada vez que via uma onda.

— Ele é tão giro quando o mar está agitado... Ladra furiosamente às ondas maiores e fica fulo se o salpicam. E nada mesmo bem! — comentou a Zé, enquanto remava vigorosamente.

— Não é bom termos um cão connosco? Gosto tanto dele! — disse a Ana, empenhada em fazer esquecer o incidente do almoço.

— Ão-ão — fez o *Tim* na sua voz grossa, virando-se para lhe dar uma lambidela na orelha.

— Até parece que percebeu o que eu disse! — exclamou a Ana, deliciada.

— Claro que percebeu! Ele percebe tudo! — ripostou a Zé.

— Estamos quase a chegar à tua ilha — gritou o Júlio, muito entusiasmado. — É maior do que eu pensava. E o castelo é espetacular!

Aproximaram-se da ilha e as crianças repararam que de facto estava rodeada por rochas muito pontiagudas. A menos que se soubesse o caminho exato, era impossível alcançar a ilha. E ao meio, no topo de uma pequena colina, erguia-se o castelo em ruínas. As pedras eram grandes e brancas, mas só restavam arcadas partidas, torres a desmoronar-se e paredes em escombros. Outrora fora um bonito castelo, imponente e sólido, mas agora estava coberto de ninhos de gralhas e havia gaivotas nas pedras mais altas.

— Tem um ar tão misterioso! — comentou o Júlio. — Adorava desembarcar e dar uma vista de olhos pelo castelo. E imaginem passar lá uma noite ou duas!

A Zé até parou de remar. O rosto iluminou-se-lhe.

— Sim! Sabem, nunca tinha pensado nisso. Deve ser mesmo muito bom... passar a noite na minha ilha! Ficarmos sozinhos, só nós os quatro... a fazer as nossas próprias refeições e a fingir que vivemos lá! Não era fantástico? — perguntou, encantada com a ideia.

— Mais do que fantástico! — respondeu o David, olhando avidamente para a ilha. — Achas que a tua mãe deixava?

— Não sei... talvez deixe. É uma questão de lhe perguntar.

— Podemos ir lá hoje? — perguntou o Júlio.

— Se ainda quiserem ir ver o barco afundado, não podemos. Temos de estar de volta à hora do lanche, e ainda demora um bocado contornar a ilha até ao outro lado e depois regressar.

— Nesse caso... quero ver o navio — escolheu o Júlio, dividido entre a ilha e os destroços no fundo do mar. — Deixa-me dar-te uma ajuda com os remos, Zé. Não podes ser sempre tu a remar.

— Posso, pois. Mas não me importava nada de me estender um bocadinho no barco, para variar. Deixa-me só passar esta parte mais rochosa, depois podes pegar nos remos até chegarmos a outra passagem mais difícil. As rochas nesta baía são um perigo!

A Zé e o Júlio trocaram de lugar no barco. O Júlio remava bem, mas não de forma tão vigorosa como a Zé, e o barco avançou com uns ligeiros solavancos. Deram a volta à ilha e avistaram o castelo do outro lado. Visto daquela perspetiva, parecia ainda mais em ruínas.

— Os ventos mais fortes vêm do mar alto — explicou a Zé. — Por isso é que deste lado pouco sobra, para além de amontoados de pedras. Há um pequeno porto muito útil numa enseadazinha, mas é preciso conhecer o caminho para o encontrar.

A Zé voltou a pegar nos remos e levou o barco para lá da ilha. Depois parou e olhou para a costa.

— Como é que sabes se estás mesmo por cima do navio? — perguntou o Júlio, perplexo. — Eu não faria ideia!

— Estás a ver aquela torre da igreja ali em terra? E o cimo daquela colina ali? Quando estiveres exatamente em linha com os dois e entre as duas torres do castelo da ilha, estás mais ou menos no local exato. Descobri isso há que tempos!

As crianças viram que o cume da colina e a torre da igreja estavam praticamente alinhados, quando olharam para eles entre as duas torres do castelo. Debruçaram-se logo sobre o mar, para ver se conseguiam descobrir os destroços.

A água estava absolutamente límpida e tranquila, mal havia ondulação. O *Tim* também olhou para o fundo, com a cabeça inclinada e as orelhas espetadas, como se soubesse muito bem de que é que estava à procura! As crianças desataram a rir.

— Ainda não estamos bem lá — avisou a Zé, olhando também para baixo. — O mar hoje está tão límpido que devemos ser capazes de conseguir ver até bem ao fundo. Esperem, vou remar um bocadinho mais para a esquerda.

— Ão-ão — ladrou o *Tim* de repente, ao mesmo tempo que abanava a cauda.

Foi nesse preciso momento que as três crianças viram algo no fundo do mar!

— É o navio! Consigo ver uma parte do mastro partido! Olha, David! — gritou o Júlio, que ia caindo do barco, tamanha era a excitação.

As quatro crianças e o cão contemplaram a água transparente, ansiosamente à procura dos destroços. Ao fim de algum tempo, conseguiram distinguir os contornos de um casco escuro, de onde saía o mastro quebrado.

— Está ligeiramente inclinado — reparou o Júlio. — Pobre barco… deve odiar estar ali perdido, a desfazer-se aos poucos. Zé, quem me dera poder mergulhar e vê-lo mais de perto!

— E porque não mergulhas? Tens o fato de banho vestido, não tens? Eu já lá fui muitas vezes. Vou contigo, se quiseres. O David pode ficar com os remos, se conseguir manter o barco quieto. Há uma corrente a puxar-nos para o alto-mar, tens de usar este remo para evitar que o barco saia do sítio.

A Zé e o Júlio despiram as calças e as camisolas — ambos traziam o fato de banho por baixo. A Zé deu um mergulho formidável da parte de trás do barco e penetrou com agilidade na água. Os outros observaram-na a nadar cada vez mais para o fundo, contendo a respiração.

Ao fim de algum tempo regressou à tona, praticamente sem fôlego.

— Cheguei quase até aos destroços. Está tudo na mesma — cheio de algas e coberto por lapas e outras coisas. Gostava de conseguir chegar mesmo ao barco, mas nunca aguentei tanto tempo sem respirar. Agora é a tua vez, Júlio.

E lá foi o Júlio... Mas não conseguia estar debaixo de água tanto tempo como a Zé, portanto não foi tão longe. Não tinha problemas em abrir os olhos debaixo de água, por isso conseguiu ver bem o convés do navio. Tinha um ar abandonado e sombrio, que não agradou muito ao rapaz — fê-lo sentir uma espécie de tristeza. Ficou contente por voltar à superfície, respirar profundamente e sentir o sol quente nos ombros.

Trepou para dentro do barco e disse:

— Foi mesmo emocionante! Gostava de ver os destroços com mais pormenor... passar do convés para os camarotes e dar uma vista de olhos por tudo! Imaginem que conseguíamos achar as caixas com o ouro!

— Isso é impossível — ripostou a Zé. — Já vos disse que foram lá abaixo mergulhadores profissionais e nunca encontraram nada. Que horas são? Se não nos despacharmos, não chegamos a tempo!

Fizeram o caminho de regresso o mais rapidamente possível, e só chegaram uns cinco minutos atrasados para o lanche. Depois foram dar um passeio pelo campo com o *Tim*, e à hora de ir para a cama estavam tão cansados que mal conseguiam manter os olhos abertos.

— Boa noite, Zé — desejou a Ana, aconchegada na cama. — Passámos um dia maravilhoso graças a ti!

— E *eu* também tive um dia maravilhoso — respondeu a Zé, de forma um bocadinho brusca. — E foi graças a *vocês*. Ainda bem que vieram, vamos divertir-nos imenso. E vocês vão adorar o meu castelo e a minha ilhota!

— Sim! — bocejou a Ana, adormecendo de imediato para sonhar com barcos naufragados, castelos e ilhas às centenas. Quando é que a Zé os levaria à sua ilha?

5. VISITA À ILHA

No dia seguinte, a tia das crianças preparou um piquenique e foram todos para uma pequena enseada onde podiam nadar e chapinhar à vontade. Passaram um dia muito agradável, mas, no fundo, o Júlio, o David e a Ana teriam preferido ir à ilha da Zé, que era o que mais desejavam no mundo!

A Zé não queria ir ao piquenique, não porque tivesse alguma coisa contra piqueniques, mas porque não podia levar o *Tim*. Mas, como a mãe foi com eles, que remédio teve a rapariga senão passar um dia inteiro sem ver o adorado cão.

— Que azar! — comentou o Júlio, que adivinhou o motivo de tanta tristeza. — Continuo a achar que devias contar à tua mãe tudo sobre o *Tim*. De certeza que não se importa que ele esteja em casa de outra pessoa, pelo menos sei que a minha mãe não teria problemas nenhuns com isso.

— Não vou dizer a ninguém para além de vocês! Estou sempre a arranjar confusões em casa, a culpa até é capaz de ser minha, mas começo a ficar farta. O pai não ganha lá muito dinheiro com os livros que escreve, percebes? E anda sempre mal-humorado porque não me pode dar, a mim e à mãe, as coisas que gostava. Até queria mandar-me para um colégio interno, mas não há dinheiro para isso. Por mim, ainda bem... não quero ir para uma escola longe daqui, gosto disto. E não ia aguentar ficar longe do *Tim*.

— Ias gostar de estar num colégio, como nós. É muito divertido — disse a Ana.

— Não, não é — retorquiu a Zé, com teimosia. — Deve ser horroroso fazer parte de um bando e ter montes de miúdas sempre a rir e a gritar à volta. Eu ia odiar.

— A sério que não ias, Zé. É mesmo divertido. E acho que até te fazia bem — insistiu a Ana.

— Não comeces a dizer o que é que me faz bem ou não — irritou-se a Zé, com a expressão feroz a voltar ao rosto. — Os meus pais passam a vida a fazer isso, e acham sempre que o melhor para mim são as coisas que eu odeio.

— Pronto, pronto — interveio o Júlio, a rir. — Não é preciso passares-te assim! A sério, acho que dava para acender uma fogueira com as faíscas que te saem dos olhos!

A Zé não conseguiu evitar uma gargalhada, ainda que contra vontade. Era impossível estar de mau humor ao pé do Júlio!

Foram ao banho pela quinta vez nesse dia. Chapinharam alegremente e a Zé ajudou a Ana a melhorar na natação. A rapariga mais nova ainda não apanhara o jeito da braçada e a Zé ficou toda orgulhosa quando a conseguiu ensinar.

— Obrigada! — agradeceu a Ana quando começou a desenvencilhar-se. — Nunca vou conseguir ser tão boa como tu, mas gostava de nadar como os rapazes.

Quando iam a caminho de casa, a Zé sussurrou ao Júlio:

— Não te importas de dizer que precisas de ir comprar um selo, ou coisa parecida? Assim podia ir contigo e aproveitava para ver o *Tim*. O pobre deve estar a perguntar-se por que carga de água é que não o levei hoje a passear.

— Claro! Não preciso de selos, mas um gelado não fazia mal nenhum. O David e a Ana podem ir para casa com a tua mãe e ajudar a levar as coisas. Vou já dizer à tia.

Foi ter com ela a correr e pediu:

— A tia importa-se que eu vá comprar uns gelados? Ainda não comemos nenhum hoje. Não demora nada. E a Zé pode vir?

— Não sei se ela quererá. É melhor perguntares-lhe.

— Zé, anda daí comigo! — gritou o Júlio, metendo-se logo a caminho da aldeia a passos largos.

A cara da Zé iluminou-se de imediato e foi atrás do primo. Apanhou-o rapidamente e sorriu-lhe, agradecida.

— Obrigada! Vai lá buscar os gelados, que eu vou ver o *Tim*.

Separaram-se e o Júlio foi comprar quatro gelados. A caminho de casa, parou à espera da prima, que surgiu ao fim de alguns minutos. Estava radiante.

— Está tudo bem! Ele ficou tão contente por me ver, que quase saltou por cima da minha cabeça! Oh... outro gelado para mim! Muito, muito obrigada, Júlio. Vou ter de retribuir com alguma coisa rapidamente. E se fôssemos à ilha já amanhã?

— Sim! — respondeu o Júlio, com os olhos a brilhar. — Seria fantástico! Anda, vamos dizer aos outros.

As quatro crianças sentaram-se no jardim a saborear os gelados. O Júlio contou-lhes o que combinara com a Zé e ficaram todos muito entusiasmados. A Zé ficou contente — sempre se sentira muito importante ao recusar levar outras crianças à ilha de Kirrin, mas afinal era ainda mais agradável aceitar levar lá os primos!

«E eu que achava que era muito melhor fazer tudo sozinha... mas vai ser divertido andar por aí com o Júlio e os outros», pensou, enquanto lambia o resto do gelado.

Quando se foram lavar e arranjar para o jantar, não conseguiram parar de falar com entusiasmo acerca da visita à ilha no dia seguinte. A tia escutou-os e sorriu.

— Bem, nem imaginam como fico feliz por a Zé ir partilhar coisas convosco! Querem levar comida e passar lá o dia? Não vale muito a pena remar até tão longe e desembarcar se não for para passar lá algumas horas.

— Oh, tia Clara... que ideia maravilhosa! — exclamou a Ana.

A Zé ergueu os olhos.

— E a mãe também vem connosco? — perguntou.

— Pelos vistos, não queres que eu vá — respondeu a tia Clara, com uma voz magoada. — Ontem também ficaste aborrecida quando percebeste que eu ia convosco. Mas não te preocupes, amanhã não posso ir. Os teus primos devem achar bastante estranho que nunca queiras a companhia da tua mãe!

A Zé não disse nada — raramente respondia quando a repreendiam. E os outros também se calaram, pois sabiam muito bem que a Zé não tinha nada contra a companhia da mãe — queria era levar o *Tim*!

— De qualquer modo, também não podia ir. Tenho imensa coisa para fazer no jardim. Mas com a Zé ficam em boas mãos, ela manobra o barco tão bem como um adulto — concluiu a tia Clara.

No dia a seguir, as crianças olharam ansiosamente pela janela quando acordaram. O Sol brilhava no céu e tudo indicava que ia estar um dia esplêndido.

— Não está um dia lindo? Quero tanto ir até à ilha! — disse a Ana à Zé, enquanto as duas se vestiam.

— Afinal não sei se é boa ideia irmos hoje — foi a resposta inesperada da Zé.

— Oh, mas porquê? — perguntou a Ana, desapontada.

— Acho que vem aí uma tempestade, ou coisa parecida — explicou a Zé, olhando para sudoeste.

— Mas, Zé... porque é que dizes isso? Olha lá para o Sol! E não se vê praticamente uma nuvem no céu — insistiu a Ana, já impaciente.

— Há algo de errado com o vento, não está de feição. E não vês a crista das ondas ao pé da ilha? É sempre mau sinal.

— Mas, Zé... se não formos hoje, vai ser a maior desilusão das nossas vidas! — lamentou a Ana, que não suportava desilusões, fossem grandes ou pequenas.

E acrescentou, estrategicamente:

— Além disso, se ficarmos em casa com medo da tempestade, o *Tim* não vai poder estar connosco...

— Lá isso é verdade — anuiu a Zé. — Está bem, vamos hoje. Mas ouve... se houver uma tempestade, não podes portar-te como um bebé. Tens de tentar apreciá-la e não ter medo.

— Na verdade, não gosto lá muito de tempestades... — começou a Ana, mas calou-se mal viu a cara de desprezo da Zé.

Desceram para o pequeno-almoço e a Zé perguntou à mãe se sempre podiam levar comida, como tinham combinado.

— Sim. Tu e a Ana podem ajudar-me a fazer as sandes, enquanto os rapazes vão ao jardim apanhar umas ameixas maduras para levarem. E tu, Júlio, quando acabares, podes dar um saltinho à aldeia para comprar limonadas ou cerveja de gengibre, como preferirem.

— Para mim, cerveja de gengibre! — escolheu o Júlio, e todos concordaram.

Estavam tão contentes — ia ser maravilhoso conhecer uma ilha tão invulgar. E a Zé estava feliz da vida porque ia passar o dia todo com o *Tim*.

E lá partiram, com a comida em duas mochilas. A primeira coisa que fizeram foi ir buscar o *Tim*, que estava preso no quintal do Alf. O jovem pescador também lá se encontrava, recebendo a Zé com um sorriso.

— Bom dia, Zé! O *Tim* tem estado a ladrar que nem um maluco à vossa espera. Acho que adivinhou que hoje o vinham buscar.

— Claro que sim! — respondeu a Zé, enquanto desamarrava o cão.

O bicho ficou doido de alegria e desatou a correr à volta das crianças, sempre a dar ao rabo e com as orelhas baixas.

— Se fosse um galgo, ganhava todas as corridas — comentou o Júlio, impressionado. — É mais rápido do que uma seta! *Tim*! Ei, *Tim*! Vem cá dizer olá!

O *Tim* deu um salto e aproveitou para dar uma lambidela na orelha esquerda do Júlio, cabriolando mais um bocadinho. Depois acalmou e correu em direção à praia ao lado da sua dona adorada. De vez em quando lá lambia as pernas nuas da Zé, e ela respondia com um puxão de orelhas carinhoso.

Entraram para dentro do barco e a Zé pegou nos remos. O Alf acenou-lhes.

— Não vão demorar muito, pois não? É que vem aí uma tempestade. E das grandes! — avisou.

— Eu sei — gritou a Zé. — Mas devemos estar de regresso antes de começar. Ainda está muito longe.

A Zé remou até à ilha. O *Tim* foi sempre à proa, a ladrar às ondas. As crianças viram a ilha a aproximar-se cada vez mais — parecia ainda mais espetacular do que no outro dia.

— Zé, onde é que vamos desembarcar? Não sei como é que te orientas no meio destas rochas. Estou sempre com medo que encalhemos numa! — disse o Júlio.

— Vamos para aquela enseadazinha de que já vos falei. Só há um caminho para lá, mas eu conheço-o como a palma da minha mão. Fica escondida na parte oriental da ilha.

A rapariga manobrou o barco com perícia por entre as rochas, e, de súbito, ao contornarem um paredão de rochas muito aguçadas, todos viram a enseada a que ela se referia. Era como um pequeno porto natural abrigado entre as falésias, onde um braço de mar muito calmo desembocava na areia. O barco deslizou até lá e parou imediatamente de balançar, porque a água era lisa como um espelho, quase sem ondulação.

— Isto é maravilhoso! — exclamou o Júlio, com os olhos a brilhar de prazer.

A Zé fitou-o com os seus olhos azuis, ainda mais cintilantes do que o mar. Era a primeira vez que trazia alguém à sua preciosa ilha, e estava a saber-lhe mesmo bem.

Desembarcaram na areia macia e a Ana desatou logo a correr de um lado para o outro, acompanhada pelo *Tim*, tão excitado como ela.

— É mesmo a sério, estamos mesmo na ilha!

Os outros riram-se, e a Zé puxou o barco pela areia.

— Porque é que tens de o deixar tão acima? A maré está praticamente cheia, não está? De certeza que não chega aqui… — perguntou o Júlio, enquanto a ajudava.

— Já te disse que acho que vem aí uma tempestade. Se for verdade, as ondas vão invadir esta enseada, e nós não queremos ficar sem o barco, pois não?

— Vamos explorar a ilha, vamos explorar a ilha! — gritou a Ana, que já estava na outra ponta do pequeno porto natural, pronta para trepar pelas rochas. — Despachem-se!

Foram todos atrás dela. O sítio era absolutamente fantástico. Havia coelhos por todo o lado! Fugiam quando as crianças se aproximavam, mas não se enfiavam nas tocas.

— São tão mansos! — exclamou o Júlio, surpreendido.

— Bem, nunca cá vem ninguém a não ser eu, e eu não os assusto — explicou a Zé. — *Tim*! *Tim*, se fores atrás dos coelhos, fico muito zangada!

O *Tim* lançou à dona um olhar cheio de mágoa. Ele e a Zé estavam de acordo em tudo, tirando os coelhos. Só existiam por um motivo — para serem caçados! —, e não dava para perceber porque é que a Zé o proibia de o fazer. Mas conteve-se e caminhou solenemente atrás das crianças, sempre a espreitar pelo canto do olho, cabisbaixo.

— Aposto que até me vêm comer à mão — disse o Júlio.

Mas a Zé abanou a cabeça.

— Nem penses nisso. Eu já tentei, e nunca vieram. Olhem para os bebés, não são amorosos?

— Ão-ão — concordou o *Tim*, avançando na direção deles. A Zé fez um ruído com a garganta e o cão recuou imediatamente, de cauda caída.

— Ali está o castelo! — exclamou o Júlio. — Vamos explorá-lo agora? Era mesmo o que me apetecia!

— Sim, vamos — concordou a Zé. — Olhem! A entrada era ali, por aquela arcada meio desfeita.

As crianças observaram a enorme arcada, agora partida ao meio. Por trás erguiam-se os degraus de pedra em ruínas que iam dar ao centro do castelo.

— Tinha umas muralhas a toda a volta, com duas torres. Como podem ver, uma delas já quase não existe, mas a outra não está assim em tão mau estado. As gralhas fazem lá os ninhos todos os anos, já a encheram de galhos! — explicou a Zé.

Ao aproximarem-se da torre, foram rodeados pelas gralhas, que faziam um barulho ensurdecedor. O *Tim* bem pulava de um lado para o outro a tentar apanhá-las, mas elas limitavam-se a gozar com ele.

— Aqui era o centro do castelo — disse a Zé, quando passaram por baixo da entrada em ruínas e chegaram ao que parecia ser um enorme pátio, cujo chão de pedra estava agora coberto de relva que nunca fora cortada e por outra vegetação. — E aqui viviam as pessoas. Dá para ver onde ficavam os quartos. Vejam, aquele está quase intacto. Se passarem por aquela portinha, conseguem ver melhor.

Entraram em fila e chegaram a um quarto escuro, de paredes e chão de pedra, com um buraco numa das extremidades onde outrora devia ter havido uma lareira. Duas frinchas, à laia de janelas, deixavam entrar alguma luz, mas a atmosfera era estranha e misteriosa.

— Que pena estar tudo a cair aos pedaços — lamentou o Júlio, ao sair. — Aquele quarto parece ser o único que ainda está mais ou menos de pé. Há outros ali, mas ou não têm teto, ou uma das paredes ruiu. Aquele é o único onde dava para viver alguém. Havia outro piso, Zé?

— Claro! Mas as escadas desapareceram. Olhem lá para cima, dá para ver uma parte de um quarto junto da torre das gralhas. Não se consegue chegar lá, eu já tentei. Ia partindo o pescoço, as pedras não aguentam e resvalam.

— E masmorras, havia? — quis saber o David.

— Não faço ideia. Suponho que sim, mas agora é impossível encontrá-las, porque está tudo coberto pela vegetação.

De facto, a vegetação era imensa, com umas silvas aqui e ali e giestas nas rachas e nos cantos das paredes. A relva, verde e áspera, crescia por todo o lado, salpicada por tufos de flores selvagens que faziam lembrar pequenos retalhos cor-de-rosa.

— Para mim está lindo assim — disse a Ana. — É lindo, lindo, lindo!

— A sério? — admirou-se a Zé. — Mas fico tão contente! Olhem! Já estamos do outro lado da ilha, que dá para o mar alto. Estão a ver aqueles rochedos, com umas aves enormes em cima?

Os outros olharam para onde ela apontava. Viram umas rochas escarpadas, com umas aves pretas e luzidias, de grande porte, em posições estranhas.

— São corvos-marinhos. Apanham imenso peixe para comer e ficam ali a fazer a digestão. Oh... estão a ir-se embora. Porque será?

Não faltou muito para saberem porquê. Vindo de sudoeste, ouviu-se de repente um imenso estrondo.

— Trovões! — gritou a Zé. — É a tempestade! Chegou mais cedo do que eu estava à espera!

6. OS EFEITOS DA TEMPESTADE

As quatro crianças viraram-se para o mar. Tinham estado tão absorvidas a explorar o velho castelo que nem deram pela mudança súbita nas águas.

Ouviu-se outro estrondo. Até parecia que havia um cão gigante a rosnar no céu. O *Tim* rosnou em resposta, fazendo ele próprio lembrar um minúsculo trovão.

— Estamos bem arranjados! — disse a Zé, meio alarmada. — Não vamos conseguir regressar a tempo, o vento está fortíssimo. Já tinham visto o céu mudar tão depressa?

O céu, que estava azul quando se fizeram ao mar, encontrava-se agora carregado de nuvens baixas. Desataram a correr como se viesse alguém atrás deles — e o vento rugia de um modo tão aflito que a Ana não conseguiu evitar sentir-se mesmo muito assustada.

— Está a começar a chover — avisou o Júlio quando sentiu uma gota enorme a cair-lhe na mão estendida. — É melhor procurarmos abrigo, não achas, Zé? Senão vamos ficar todos encharcados.

— Sim, e já não falta muito. Olhem para aquelas ondas enormes que aí vêm! Vai ser uma tempestade a sério... Oh! Que relâmpago! — respondeu a Zé.

De facto, as ondas cresciam a olhos vistos — era impressionante a mudança que se dera no mar em tão pouco tempo. As vagas enormes erguiam-se e rebentavam mal atingiam as rochas, embatendo na praia da ilha com um som estrondoso.

— Acho melhor subir o barco ainda mais um bocadinho — disse a Zé, de repente. — Vai ser uma grande tempestade. Às vezes estas tempestades repentinas de verão são piores do que as de inverno.

Ela e o Júlio correram para o lado oposto da ilha, onde tinham deixado o barco. E ainda bem que o fizeram, pois as ondas estavam quase a levá-lo. As duas crianças arrastaram o barco quase até ao topo da pequena falésia e a Zé amarrou-o a uma giesta mais resistente.

Por esta altura já chovia com intensidade, e a Zé e o Júlio estavam completamente encharcados.

— Espero bem que os outros dois tenham tido o bom senso de se abrigarem naquele quarto que ainda tem teto e paredes — disse a Zé.

E foi mesmo lá que os encontraram, cheios de frio e medo. Estava muito escuro, porque a luz só entrava pelas pequenas frinchas e pela porta estreita.

— Será que podíamos acender uma fogueira para alegrar um bocadinho as coisas? — sugeriu o Júlio, olhando em volta. — Onde é que vamos encontrar pauzinhos secos?

E, como se estivesse a responder-lhe, um pequeno bando de gralhas lançou o seu grito estridente do meio da tempestade.

— É isso! O que não falta são pauzinhos no chão por baixo da torre! Lá onde as gralhas fazem os ninhos. Deixam sempre cair imensos galhos! — gritou o Júlio, saindo disparado para a chuva e correndo para a torre. Agarrou numa mão-cheia de paus e correu de volta para o quartinho.

— Boa! — disse a Zé. — Assim conseguimos fazer uma bela fogueira. Alguém tem papel para atear o fogo? E, já agora… fósforos?

— Eu tenho fósforos. Mas ninguém trouxe papel — respondeu o Júlio.

— Espera lá! — lembrou-se a Ana, de repente. — As sandes estão embrulhadas em papel. Se as desembrulharmos, podemos utilizá-lo.

— Boa ideia — anuiu a Zé.

Assim sendo, desembrulharam as sandes e colocaram-nas em cima de uma pedra partida, tendo o cuidado de a limparem antes. Depois fizeram uma fogueira, com o papel por baixo e os pauzinhos em cruz por cima.

O fogo pegou de imediato e os galhos incendiaram-se sem problemas — eram mesmo muito velhos e secos! Não tardou a que um fogo crepitasse alegremente no pequeno quarto, iluminado de súbito pelas labaredas. Lá fora estava muito escuro, porque as nuvens estavam tão baixas que pareciam tocar no topo da torre do castelo. E passavam cá com uma velocidade! O vento empurrava-as para noroeste, uivando em coro com o mar.

— Nunca, mas mesmo nunca, ouvi o mar a fazer um barulho tão forte — queixou-se a Ana. — Nunca! Parece mesmo que está a gritar a plenos pulmões.

Tamanho era o ruído do vento e das ondas a rebentar contra o rebordo da ilha que as crianças mal se ouviam umas às outras. Tinham de gritar para se fazerem entender.

— Vamos comer — berrou o David, que estava cheio de fome, como sempre. — Não podemos fazer mais nada até a tempestade passar.

— Sim, vamos! — alinhou a Ana, olhando para as sandes com um ar guloso. — Vai ser divertido fazer um piquenique à volta da fogueira neste quartinho sombrio. Quando terá sido a última vez que alguém comeu aqui? Quem me dera ter visto!

— Olha, eu não — comentou o David, olhando à volta com cara de susto, como se estivesse à espera de ver chegar convidados fantasmagóricos. — O dia já está estranho o suficiente, dispensam-se desejos desses!

Todos se sentiram melhor quando começaram a comer as sandes e a beber a cerveja de gengibre. O fogo aumentava consoante ia acumulando mais galhos, e emanava um calorzinho muito bem-vindo, porque, com o vento a soprar com tanta força, o dia tornara-se frio.

— Vamos apanhar mais raminhos, um de cada vez — propôs a Zé.

Mas a Ana recusou-se a ir sozinha. Estava a fazer um esforço enorme para não demonstrar que sentia imenso medo da tempestade — mas pedirem-lhe para deixar o quartinho aquecido e enfrentar a chuva e os trovões sozinha já era demais!

O *Tim* também parecia não gostar muito da tempestade. Sentou-se ao pé da Zé, com as orelhas arrebitadas, ladrando de cada vez que ouvia um trovão. As crianças deram-lhe pedacinhos de comida, que ele devorou num instante, pois também estava cheio de fome.

Havia quatro biscoitos para cada um.

— Acho que vou dar os meus ao *Tim*. Não trouxe os dele, e está com um ar esfomeado — afirmou a Zé.

— Não, não faças isso. Cada um de nós dá-lhe um, assim ele fica com quatro à mesma, e nós temos três cada um. Chega e sobra — sugeriu o Júlio.

— Vocês são mesmo fixes! Não são, *Tim*? — exclamou a Zé.

O *Tim* distribuiu lambidelas por toda a gente e as crianças riram-se. Depois rebolou e deixou que o Júlio lhe fizesse festas no dorso. Continuaram a alimentar a fogueira e terminaram o piquenique. Quando chegou a vez de o Júlio ir buscar mais paus, o rapaz saiu do quarto rumo à tempestade e deixou-se ficar a olhar em redor, com a chuva a cair-lhe na cabeça descoberta.

A tempestade parecia agora estar mesmo em cima da ilha. Relâmpagos e trovões surgiam ao mesmo tempo. O Júlio não tinha medo de tempestades, mas perante aquela tornava-se impossível não se sentir assustado. Era impressionante:

os raios rasgavam o céu de minuto a minuto e os trovões ribombavam com tanta força que parecia haver montanhas a desabar por toda a parte!

O mar fazia-se ouvir no intervalo entre trovões, e também era brutal. A espuma das ondas subia tanto que salpicou o Júlio ainda no centro do castelo.

— Vou ver as ondas. Se a espuma chega aqui, devem ser gigantescas! — decidiu.

Saiu do castelo, trepou para os escombros da muralha que outrora circundara o castelo e virou os olhos para o mar alto. A vista era extraordinária! As ondas faziam lembrar paredes enormes, verdes e cinzentas. Quando se desfaziam contra as rochas que rodeavam a ilha, a espuma salpicava o ar, como fagulhas brancas no céu tempestuoso. Rolavam até à ilha e desfaziam-se com tanta força que o Júlio sentia a muralha a tremer debaixo dos pés.

O rapaz olhou para o mar, maravilhado com o espetáculo imponente que tinha diante de si. Por um breve instante, chegou a temer que as vagas engolissem a própria ilha! Mas apressou-se a dizer a si próprio que era impossível, caso contrário isso já teria acontecido. Observou as ondas enormes que se aproximavam — e de súbito viu uma coisa muito estranha.

Havia algo mais no mar, junto às rochas: algo escuro, imenso, que parecia soltar-se das vagas e voltar a submergir. O que seria?

«Não pode ser um barco», pensou o Júlio, com o coração a bater muito depressa enquanto se esforçava para ver alguma coisa entre as ondas e a espuma. «Mas parece mesmo um barco. Espero que não seja, com um dia assim não se salva ninguém!»

Deixou-se estar mais um pouco a observar. O vulto negro ficou de novo à vista e voltou a desaparecer. O Júlio decidiu ir contar aos outros e foi a correr até ao quartinho onde estava a fogueira.

— Zé! David! Está uma coisa estranha ali nas rochas a seguir à ilha! — gritou, o mais alto que podia. — Parece um barco, mas não pode ser! Venham ver!

Os outros olharam para ele, estupefactos, e puseram-se logo de pé. A Zé atirou à pressa mais uns paus para a fogueira, para não se apagar, e juntou-se aos primos, que já seguiam o Júlio por entre a chuva.

Dava a ideia de que a tempestade abrandava ligeiramente, e a chuva já não caía com tanta força. Os trovões pareciam vir de mais longe e os relâmpagos não eram tão frequentes. O Júlio guiou-os até à muralha a que tinha subido para ver o mar.

Um a um, puseram-se lá em cima e viraram os olhos para as águas. E o que viram foi uma imensa massa de água verde-acinzentada, com ondas a subir por toda a parte. As cristas quebravam-se contra as rochas e investiam contra a ilha como se quisessem devorá-la. A Ana enfiou o braço no do Júlio — sentia-se indefesa e assustada.

— Está tudo bem, Ana. Agora olhem com atenção, não tarda vão reparar em algo estranho — disse o Júlio em voz alta.

Continuaram a fitar o mar, e a princípio não viram nada de especial, porque as ondas eram tão altas que encobriam tudo a uma grande distância. Mas, de repente, a Zé percebeu o que o Júlio estava a dizer.

— Tens razão! É mesmo um barco! Estará a afundar-se? E é um barco enorme, não é um barco de recreio nem de pesca!

— Oh, será que há alguém lá dentro? — angustiou-se a Ana.

Continuaram a olhar, com o *Tim* a ladrar enquanto o estranho vulto negro surgia aqui e ali por entre as vagas gigantescas. O mar trazia o navio cada vez para mais perto da costa.

— Vai embater naquelas rochas! — disse o Júlio, de repente. — Olhem, já está!

A sua voz foi abafada pelo ruído de algo a despedaçar-se: o vulto escuro embatera contra os dentes afiados dos rochedos, a sudoeste da ilha. E ali ficou, balançando à medida que as ondas grandes passavam por baixo e o levantavam ligeiramente.

— Está encalhado — afirmou o Júlio. — Dali já não sai. O mar vai amainar não tarda, e o barco vai ficar preso nas rochas.

Assim que acabou de falar, um tímido raio de sol surgiu por entre as nuvens. Mas foi literalmente sol de pouca dura.

— Fixe! O Sol vai reaparecer daqui a nada. Vamos ficar mais quentes e secos. E talvez possamos saber que barco é aquele. Espero que não haja ninguém a bordo e que tenham conseguido chegar a terra a tempo, nos salva-vidas. — exclamou o David.

As nuvens dissiparam-se mais um pouco e o vento deixou de soprar com tanta fúria, passando a uma brisa regular. O Sol voltou a brilhar, e durante mais tempo, e as crianças puderam sentir um calorzinho, que foi muito bem-vindo. Aproveitaram para ver melhor o navio preso nas rochas, mais visível agora que o sol batia nele.

— Há algo estranho neste barco — comentou o Júlio, lentamente. — Algo muito estranho mesmo. Nunca vi um assim.

A Zé mostrou-lhe um olhar desconfiado. Virou-se para os outros, que ficaram muito admirados com o fulgor intenso dos olhos azuis. Parecia estar demasiado excitada para sequer falar.

— Que se passa? — perguntou o Júlio, agarrando-lhe na mão.

— Júlio! Oh, Júlio... É o meu navio afundado! — gritou ela, quase em histeria. — Não estás a perceber o que é que aconteceu? A tempestade levantou o barco do fundo do mar e atirou-o para as rochas! É o meu navio!

Os outros perceberam imediatamente que ela tinha razão. Era mesmo o velho navio naufragado — não admirava que tivesse um ar tão estranho e que parecesse tão grande e sombrio e com um formato tão fora do vulgar. Era o navio que estava no fundo do mar, erguido do seu túmulo submarino e despejado nas rochas.

— Zé! Agora podemos remar até lá e explorá-lo! — gritou o Júlio, igualmente tomado pela emoção. — Vamos vasculhá-lo de uma ponta à outra! Quem garante que não vamos encontrar as caixas com o ouro? Oh, Zé!

7. DE VOLTA AO CASAL KIRRIN

As crianças ficaram tão surpreendidas e entusiasmadas que não disseram palavra durante um minuto ou dois. Limitaram-se a olhar para o vulto negro do velho navio, tentando imaginar o que encontrariam lá dentro. Depois o Júlio apertou o braço da Zé com força.

— Não é espetacular? Zé, consegues imaginar coisa mais fantástica?

Mas a Zé manteve-se em silêncio, de olhos postos no barco, com um turbilhão de pensamentos a passar-lhe pela cabeça. Por fim, respondeu ao primo:

— Só espero que o navio ainda seja meu, agora que veio à tona. Não sei se os destroços pertencem à rainha ou assim, como os tesouros. Na verdade, o navio era da minha família, e ninguém se preocupou muito com ele enquanto estava no fundo do mar... Mas acham que ainda me vão deixar ficar com ele, agora que está à superfície?

— Nesse caso, não contamos a ninguém! — sugeriu o David.

— Não digas parvoíces! — ripostou a Zé. — É claro que algum pescador há de dar por ele mais cedo ou mais tarde, quando sair para o mar alto. Não tarda vai saber-se.

— Então é melhor irmos explorá-lo antes que deem com ele! Por enquanto, só nós é que sabemos. Não podemos ir lá logo que as ondas estejam mais calmas? — perguntou o David.

— Não podemos amarinhar pelas rochas, se é nisso que estás a pensar. Temos de ir de barco, mas agora seria perigoso, com o mar tão agitado. E hoje já não vai melhorar, o vento ainda está muito forte.

— E amanhã de manhã? — propôs o Júlio. — Antes que alguém o descubra. Se formos os primeiros a procurar, aposto que encontramos alguma coisa!

— É possível. Mas não se esqueçam de que já houve mergulhadores a explorar o barco; é claro que é mais difícil debaixo de água, talvez consigamos encontrar algo que lhes tenha escapado. Oh, parece um sonho! Nem consigo acreditar que o meu velho navio naufragado saiu assim do fundo do mar!

O Sol apareceu finalmente e a roupa das crianças secou num instante. Dava para ver a água a evaporar, e até do pelo do *Tim* saía vapor! O cão parecia não achar muita piada aos destroços do barco e rosnava sem parar.

— És mesmo cómico, *Tim*! Deixa estar, não te vai fazer mal nenhum! Que pensas tu que é? — acalmou-o a Zé, enquanto lhe fazia festas.

— Se calhar acha que é uma baleia — sugeriu a Ana, com uma gargalhada. — Oh, Zé, é o dia mais emocionante da minha vida! Não podemos mesmo pegar no barco e tentar chegar ao navio?

— Não dá, Ana — insistiu a Zé. — Quem me dera, mas é impossível. Para começar, nada nos garante que o navio esteja bem fixo nas rochas, e é possível que isso só aconteça quando a maré baixar. Reparem que ainda se mexe quando passa uma onda maior. Seria perigoso ir lá agora. Além disso, não quero o meu pequeno barco esmagado contra as rochas, e nós atirados para o meio de um mar assim! E era o mais certo. Temos mesmo de esperar por amanhã, mas é melhor virmos bem cedinho; aposto que não vão faltar adultos a achar que eles é que têm de explorar o navio.

Observaram o barco nas rochas por mais um momento e depois foram dar outra volta pela ilha.

Decididamente, não era muito grande, mas não deixava de ser um espetáculo, com a costa rochosa, a pequena enseada tranquila onde tinham deixado o barco, o castelo em ruínas, gralhas a voar em círculo e coelhos a saltitar por todo o lado.

— Adoro! Adoro mesmo! — exclamou a Ana. — É suficientemente pequena para *sentirmos* que estamos numa ilha. A maior parte das ilhas é tão grande que nem se percebe que são ilhas. Por exemplo, a Grã-Bretanha é uma ilha, mas nenhum de nós saberia se não nos tivessem dito. Aqui *sentimos* que estamos numa ilha, porque podemos sempre ver o outro lado. Adoro!

A Zé sentia-se muito feliz. Já tinha estado na ilha muitas vezes, mas sempre sozinha, apenas com o *Tim*. Jurara que jamais levaria lá alguém, com medo de que a estragassem. Mas afinal a ilha não se tinha estragado por estar lá mais gente, tinha era ficado ainda melhor! Pela primeira vez na vida, a Zé começou a perceber que partilhar duplica o prazer das coisas.

— Vamos esperar que as ondas diminuam mais um bocadinho e depois vamos para casa — disse. — Acho que vem aí mais chuva, e não queremos ficar outra vez todos encharcados. Mas já não chegamos antes do lanche, porque temos de remar contra a maré.

Sentiam-se muito cansados, depois de uma manhã tão intensa, e pouco falaram no regresso a casa. Todos remaram à vez, a não ser a Ana, que não tinha força suficiente para remar naquelas condições. Quando olharam para a ilha que deixavam para trás, confirmaram que já não conseguiam ver o navio nas rochas, porque estava do outro lado, virado para o mar alto.

— Ainda bem que está daquele lado; assim ninguém o vê, por enquanto — comentou o Júlio. — Só quando saírem para pescar — e por essa altura já nós lá vamos estar. Temos de nos levantar de madrugada!

— Isso é mesmo cedo! Vocês conseguem acordar? Eu acordo muitas vezes ao amanhecer, mas vocês não estão habituados — disse a Zé.

— Claro que conseguimos acordar! — respondeu o Júlio. — Olhem, já estamos na praia. Ainda bem… doem-me tanto os braços e tenho imensa fome!

— Ão-ão — fez o *Tim*, plenamente de acordo.

— Vou ter de ir levar o *Tim* ao Alf — comunicou a Zé. — Júlio, podes ir guardar o barco? Vou ter convosco daqui a cinco minutos.

Não tardou muito a que estivessem sentados à mesa, diante de um lanche dos bons: havia *scones* acabados de tirar do forno, e a tia Clara ainda fizera um bolo de gengibre com melaço. Era castanho-escuro e pegava-se aos dedos. As crianças devoraram tudo num instante e juraram que tinha sido o melhor lanche de todos os tempos!

— Então, valeu a pena ir até à ilha? — perguntou a tia Clara.

— Sim, sim! — respondeu a Ana, com entusiasmo. — A tempestade foi impressionante. E o mar trouxe-nos…

Levou imediatamente um pontapé do Júlio e outro do David. A Zé estava demasiado longe, senão também lhe teria dado um. A Ana deitou um olhar furioso aos rapazes, com lágrimas nos olhos.

— O que é que foi agora? Levaste outro pontapé, Ana? Esta brincadeira de dar pontapés por baixo da mesa tem de acabar! A pobre da Ana vai ficar toda negra! — exclamou a tia Clara. — Diz lá, Ana, o que é que o mar trouxe?

— Trouxe um espetáculo lindo, com umas ondas enormes — respondeu a rapariga, olhando de modo triunfal para os outros.

Sabia que todos achavam que ela ia dizer que o mar lhes tinha trazido o navio naufragado — mas estavam enganados! Tinham-na magoado sem razão!

— Desculpa lá o pontapé, Ana — disse o Júlio. — O meu pé escorregou.

— E o meu também — acrescentou o David. — Sim, tia Clara, passámos um dia incrível. As ondas invadiram aquela enseadazita e tivemos de arrastar o barco quase até ao cimo do penhasco.

— E eu não tive medo da tempestade! — mentiu a Ana. — Pelo menos não tive nem metade do medo do *Ti*...

Toda a gente percebeu que a Ana ia outra vez falar no *Tim* e todos a interromperam ao mesmo tempo, falando muito alto. E o Júlio arranjou maneira de lhe dar outro pontapé.

— Ai! — queixou-se a Ana.

— Os coelhos eram tão mansos! — berrou o Júlio.

— Vimos corvos-marinhos! — gritou o David.

E a Zé também contribuiu para a algazarra:

— E as gralhas? Fizeram tanto barulho, não se calaram um minuto!

— Bem, vocês é que parecem um bando de gralhas, todos a falar assim ao mesmo tempo! — comentou a tia Clara, a rir. — Já acabaram? Agora, se fazem favor, vão lavar essas mãos peganhentas. Sim, Zé, estão bem peganhentas, comeste três fatias de bolo! Depois é melhor irem brincar para a outra sala, porque está a chover e não podem sair. Mas não façam barulho! Tenham cuidado para não incomodar o teu pai, Zé, que ele está cheio de trabalho.

Enquanto lavavam as mãos, o Júlio aproveitou para repreender a Ana:

— Idiota! Quase deitaste tudo a perder duas vezes!

— Eu não ia dizer o que pensavam que eu ia dizer da primeira vez! — defendeu-se a Ana, indignada.

A Zé interrompeu-a:

— Preferia que te desbocasses em relação ao navio do que em relação ao *Tim*! És mesmo uma língua de trapos!

— Eu sei — reconheceu a Ana, com tristeza. — Se calhar é melhor não voltar a abrir a boca à mesa. Gosto tanto do *Tim* que não consigo evitar falar nele.

A seguir, foram brincar para a sala mais pequena. O Júlio virou uma mesa ao contrário, fazendo imenso barulho.

— Vamos fingir que isto é o barco naufragado! Toca a explorá-lo!

A porta abriu-se de repente, revelando um rosto zangado e carrancudo a espreitar. Era o pai da Zé!

— Que barulho foi este? Zé, para que é que derrubaste aquela mesa?

— Fui eu — antecipou-se o Júlio. — Peço imensa desculpa! Esqueci-me de que estava a trabalhar.

— Outra destas e amanhã ficam em casa o dia todo! — ameaçou o tio Alberto. — Maria José, vê se fazes com que os teus primos fiquem sossegados.

A porta fechou-se e o tio Alberto desapareceu. As crianças trocaram olhares.

— O teu pai é mesmo muito severo, não é? — comentou o Júlio. — Lamento ter feito tanto barulho. Esqueci-me completamente.

— É melhor escolhermos alguma coisa que não faça barulho, senão ele vai cumprir a ameaça e amanhã ficamos de castigo em casa, e depois lá se vai o navio — avisou a Zé.

Só de pensar nisso, as crianças ficaram arrepiadas. A Ana foi buscar umas cartas para fazer paciências, o Júlio agarrou num livro, a Zé dedicou-se a trabalhar num barco que estava a esculpir em madeira e o David limitou-se a ficar estendido, sonhando acordado com tudo o que iam encontrar nos destroços do navio. A chuva continuou a cair sem parar, e as crianças pediam secretamente a todos os santinhos que na manhã do dia seguinte já tivesse parado.

— Vamos ter de nos levantar com as galinhas — disse o David, a abrir a boca de sono. — E se hoje fôssemos para a cama cedinho? Ainda por cima, estou todo partido, por ter remado tanto.

Normalmente, nenhum dos quatro gostava de se deitar cedo, mas com um plano tão aliciante pela frente, ninguém se fez rogado.

— Assim o tempo até passa mais depressa — concordou a Ana, pousando as cartas. — Vamos agora?

— O que é que achas que a minha mãe ia pensar se nos fôssemos deitar logo a seguir ao lanche? — perguntou a Zé. — Dizia logo que estávamos doentes. É melhor depois do jantar; dizemos que estamos cansados de remar, o que até é verdade. E amanhã, depois de uma boa noite de sono, estamos prontos para a aventura! E é mesmo uma aventura! Aposto que não há muita gente que tenha tido a oportunidade de explorar um barco tão antigo que esteve tanto tempo no fundo do mar!

E assim, às oito em ponto, e para grande surpresa da tia Clara, foram os quatro para a cama. A Ana adormeceu de imediato, e o Júlio e o David também não demoraram muito; mas a Zé ainda ficou acordada durante algum tempo, a pensar na sua ilha, no seu navio naufragado... e, claro está, no seu adorado cão!

— Tenho de levar o *Tim* — decidiu, mesmo antes de adormecer. — Não vamos deixar o *Tim* de fora. Ele também merece uma aventura!

8. A EXPLORAÇÃO DO NAVIO NAUFRAGADO

Na manhã seguinte, o Júlio foi o primeiro a acordar, mal o Sol surgiu no horizonte e começou a encher o céu de reflexos dourados. Deixou-se estar deitado, a mirar o teto, mas de repente lembrou-se de tudo o que se passara no dia anterior. Sentou-se na cama e sussurrou, o mais alto que conseguiu:

— David, acorda! Vamos explorar o navio! Vá lá, acorda!

O David abriu os olhos e sorriu para o irmão, invadido por uma sensação de felicidade. Iam partir para uma aventura! Saltou da cama e foi a correr, mas sem fazer barulho, até ao quarto das raparigas, abrindo a porta. Ambas dormiam profundamente, a Ana enrolada como uma toupeira por baixo do lençol.

O David abanou a Zé e deu uma cotovelada nas costas da Ana. As raparigas acordaram e sentaram-se.

— Depressa! O sol está a nascer. Temos de nos apressar!

Os olhos azuis da Zé brilhavam enquanto se arranjava. Até a Ana se vestiu num instante — apenas o fato de banho, calças, camisola e ténis —, e ao fim de poucos minutos estavam todos prontos.

— E agora, nem um ruído nas escadas, e nada de tosses ou risos! — avisou o Júlio quando estavam todos no patamar.

A Ana era impossível com os risinhos, e já os tramara várias vezes. Mas desta vez teve muito cuidado e portou-se tão bem como os outros. Desceram as escadas em bicos de pés e abriram a porta sem fazer barulho. Fecharam-na devagarinho e dirigiram-se ao portão do jardim. Como era impossível abri-lo sem uma enorme chiadeira, optaram antes por saltar o muro.

O Sol brilhava intensamente, embora ainda estivesse baixo, e já fazia calor. O céu estava tão bonito e tão azul que até passou pela cabeça da Ana que alguém se divertira a limpá-lo com muito esmero. Não resistiu e comentou:

— Parece acabadinho de sair da máquina de lavar!

Os outros desataram a rir — de vez em quando a Ana saía-se com cada uma! Mas no fundo perceberam o que ela queria dizer. Sentia-se a frescura do dia, tanto nas nuvens cor-de-rosa no céu azul como no mar tranquilo e brilhante lá em baixo. Mal dava para acreditar que no dia anterior estivera tão agitado.

A Zé foi buscar o barco e, logo depois, o *Tim,* deixando aos rapazes a tarefa de arrastar a embarcação até ao mar. O Alf ficou muito admirado por ver a Zé tão cedo. Estava prestes a sair para pescar com o pai e recebeu a rapariga com um sorriso:

— Também vão à pesca? Ena, aquilo é que foi uma tempestade, ontem! Fiquei com medo de que tivessem sido apanhados por ela.

— E fomos! — respondeu a Zé. — Anda daí, *Tim*!

O *Tim* ficou muito contente por ver a dona tão cedo e fartou-se de fazer cabriolas enquanto corriam para o mar, quase a fazendo tropeçar. Saltou para dentro do barco mal o viu e colocou-se logo à proa com a cauda a dar a dar e a língua vermelha de fora.

— Até admira que a cauda não lhe caia — comentou a Ana. — Ó *Tim*, qualquer dia ficas sem ela de tanto a abanar!

Zarparam para a ilha. Desta vez era mais fácil remar, porque o mar estava calmo. Contornaram-na para chegarem ao lado oposto, onde o barco ficara preso. E lá estava ele, suspenso numas rochas bem afiadas! Já assentara, e as ondas passavam por ele sem o afetar. Estava ligeiramente inclinado, e o mastro partido, agora ainda mais pequeno, sobressaía num ângulo estranho.

— Olhem para ele! — exclamou o Júlio, cheio de entusiasmo. — Pobre navio! Agora deve estar ainda mais desfeito… Fez cá um barulho quando embateu naquelas rochas!

— Como é que chegamos lá? — perguntou a Ana, olhando de modo apreensivo para a quantidade de rochedos ameaçadores e aguçados.

Mas a Zé não estava nada preocupada — conhecia a costa à volta da ilha ao milímetro. Manobrou habilmente os remos até chegarem muito próximo das rochas onde se encontrava o navio.

Visto do barco, e de tão perto, os destroços eram ainda mais impressionantes — debaixo de água não parecia tão grande. Estava coberto de uma espécie de crustáceos, e do casco pendiam fios de algas verdes e castanhas. O cheiro era esquisito. E viam-se fendas enormes, certamente marcas das rochas que haviam provocado o naufrágio. O convés também estava todo esburacado. No conjunto, era uma imagem desoladora de um navio abandonado, mas para as crianças era a coisa mais empolgante do mundo.

A Zé levou o barco mesmo até às rochas. A maré provocava pequenas ondas, e a rapariga olhou em redor.

— Vamos amarrar o barco ao próprio navio, se subirmos pela borda, vai ser mais fácil chegar ao convés. Olha, Júlio, podes atirar este laço de corda para aquele pedaço de madeira que está ali espetado?

O Júlio obedeceu. A corda ficou bem apertada e o barco das crianças imobilizou-se. A Zé foi a primeira a subir para o convés — trepou com a agilidade de um macaco. O Júlio e o David foram atrás dela, mas a Ana teve de ficar à espera de ajuda. Em breve estavam os quatro a bordo, de pé no convés inclinado. As algas tornavam tudo escorregadio, e o cheiro era muito desagradável. A Ana não gostou nada.

— Bem, aqui era o convés. E era por ali que os marinheiros subiam a desciam — explicou a Zé, apontando para um abertura larga.

Aproximaram-se e espreitaram para baixo. Via-se o resto de umas escadas de ferro. A Zé olhou para elas e disse:

— Acho que ainda devem aguentar connosco. Eu vou à frente. Alguém trouxe uma lanterna? Deve estar bem escuro ali em baixo.

O Júlio tinha uma lanterna e deu-a à Zé. Ficaram todos muito quietos, pois havia algo de profundamente misterioso em contemplar o interior negro do grande navio. Que iriam eles encontrar? A Zé ligou a lanterna e lançou-se pelas escadas abaixo. Os outros seguiram-na.

A luz da lanterna deixava entrever um cenário muito estranho. Os tetos na parte inferior do navio eram feitos de madeira de carvalho espessa e eram muito baixos, por isso as crianças tinham de se curvar para conseguir passar. Dava a ideia de que aqui e ali houvera camarotes, mas era difícil saber ao certo, porque estava tudo completamente desfeito, carcomido pelo mar e cheio de algas. O cheiro ainda era pior, embora na verdade fosse causado apenas pelos limos a secar.

Os quatro primos passaram a vida a escorregar nas algas, enquanto andavam de um lado para o outro dentro do navio. Visto por dentro, não parecia assim tão grande. Havia um grande porão por baixo dos camarotes, que as crianças conseguiam ver à luz da lanterna.

— Era ali que deviam estar as caixas de ouro — observou o Júlio.

Mas não estava lá nada, para além de água do mar e peixes. Não dava para descer, pois havia demasiada água. Dois ou três barris boiavam, abandonados, mas tinham rebentado e estavam vazios.

— Suponho que fossem barris de água, ou para carne ou biscoitos — sugeriu a Zé. — Vamos voltar para a outra parte, onde ficam os camarotes. Não é esquisito ver as tarimbas onde os marinheiros dormiam? E olhem para aquela cadeira de madeira tão antiga! Que estranho ainda estar aqui, ao fim de tantos anos! E vejam aquelas coisas na parede — estão todas ferrugentas e cobertas de algas, mas deviam ser os tachos e panelas do cozinheiro!

Era mesmo arrepiante visitar o velho barco. Mantiveram os olhos abertos, à procura de caixas que pudessem conter barras de ouro, mas a verdade é que não havia caixa nenhuma a bordo.

Até que chegaram a um camarote ligeiramente maior do que os outros. A um canto via-se uma cama, com um caranguejo enorme em cima, à qual estava encostada uma peça de mobiliário muito antiga, que parecia uma mesa de duas pernas, toda incrustada com conchas cinzentas. Prateleiras de madeira já tortas, forradas de algas cinzentas e esverdeadas, cobriam as paredes do camarote.

— Devia ser o camarote do comandante — comentou o Júlio. — É o maior de todos. O que é aquilo ali ao canto?

— Uma chávena antiga! — respondeu a Ana, pegando nela. — E olha, metade de um pires. O comandante devia estar aqui a beber chá quando o barco foi ao fundo.

A ideia deixou as crianças bastante desconfortáveis. O camarote era escuro e malcheiroso e o chão era húmido e escorregadio. A Zé começou a achar que gostava mais do navio no fundo do mar do que à superfície!

— Vamos embora... não estou a gostar lá muito disto. É emocionante, sim... mas também não deixa de ser sinistro.

Quando se preparavam para sair, o Júlio iluminou o camarote com a lanterna pela última vez. Estava prestes a desligá-la para se juntar aos outros no convés, quando algo lhe chamou a atenção. Voltou a apontar a lanterna e chamou os companheiros.

— Esperem! Há ali um armário na parede. Vamos ver se tem alguma coisa dentro.

Os irmãos e a prima voltaram-se e olharam para onde ele estava a apontar, e de facto viram o que parecia ser um pequeno armário embutido na parede. O que tinha chamado a atenção do Júlio fora o buraco da fechadura — mas não havia chave.

— *Pode ser* que haja alguma coisa lá dentro! — exclamou o Júlio. Tentou forçar a porta com os dedos, mas esta não cedeu. — Está trancada, como é óbvio.

— A fechadura deve estar podre — disse a Zé.

Fez ela própria uma tentativa, mas acabou por pegar num canivete que trazia sempre consigo e inseriu-o na ranhura entre a porta do armário e a parede do camarote. Fez força com a lâmina e a fechadura soltou-se de repente. Tal como previra, estava completamente podre. A porta abriu-se e as crianças puderam ver as prateleiras no interior, ainda com uma série de coisas estranhas em cima.

Uma delas era uma caixa de madeira, inchada por ter estado tanto tempo debaixo de água. Havia também um ou outro livro antigo e empapado. E um copo partido ao meio — mais meia dúzia de objetos, tão estragados pela água que era impossível adivinhar o que teriam sido.

— Nada de muito interessante, a não ser a caixa — observou o Júlio, tirando-a da prateleira. — E suponho que o quer que tenha lá dentro também esteja desfeito. Mas não perdemos nada em tentar abri-la.

Ele a Zé fizeram tudo para arrombar a fechadura da velha caixa de madeira. Na tampa estavam gravadas as iniciais H. J. K.

— Devem ser as iniciais do comandante — avançou o David.

— Não, são as iniciais do meu tetravô! — corrigiu a Zé, com os olhos de novo a brilhar. — Ouvi imensas histórias sobre ele. Chamava-se Henry John Kirrin, e o barco era dele. Esta devia ser a sua caixa privada, onde guardava papéis pessoais ou diários. Oh, temos mesmo de a abrir!

Mas não dava para forçar a tampa com as ferramentas que tinham à mão. Desistiram rapidamente e o Júlio pegou na caixa.

— Vamos abri-la em casa — propôs, com um tom de entusiasmo na voz. — Arranjamos um martelo e abrimo-la à força! Que belo achado!

Todos sentiram que tinham consigo algo de verdadeiramente misterioso. A caixa teria alguma coisa dentro? E o quê? Estavam desejosos de voltar a casa para descobrir! Subiram ao convés, trepando pelas velhas escadas de ferro. Mal chegaram ao topo, perceberam que já não eram os únicos a saber que o navio saíra do fundo do mar!

— Metade dos pescadores da baía deu com ele! — gritou o Júlio, ao reparar na quantidade de barcos de pesca que se tinham aproximado o mais possível do navio.

Os pescadores fitavam a embarcação, boquiabertos. Quando viram as crianças a bordo, interpelaram-nas, aos berros:

— Ei! Que barco é este?

— É o navio que naufragou ao largo da ilha! — respondeu o Júlio, também aos berros. — A tempestade de ontem levantou-o do fundo do mar.

— Não digas mais nada — pediu a Zé, franzindo o sobrolho. — O barco é *meu*, não quero cá visitantes!

Isto pôs fim à conversa, e as quatro crianças regressaram ao pequeno barco a remos e fizeram o caminho de volta a casa o mais depressa que conseguiram. Já passava da hora do pequeno-almoço, era muito provável que ouvissem um sermão. E até podiam ser mandados para a cama pelo pai da Zé, sempre tão severo... Mas isso pouco lhes importava — tinham explorado o navio e traziam consigo uma caixa que *talvez* contivesse, se não as famosas barras de ouro, pelo menos uma barra pequenina...

E ouviram mesmo das boas. E também só tiveram direito a metade do pequeno-almoço, porque o tio Alberto disse que quem se atrasava tanto não merecia ovos com *bacon*, só torradas com marmelada.

Esconderam a caixa por baixo de uma das camas no quarto dos rapazes. O *Tim* tinha ficado com o Alf — ou melhor, ficara preso no jardim do Alf, porque o rapaz estava com o pai no mar, ainda a contemplar, maravilhado, os destroços nas rochas.

— Podíamos ganhar uns trocos a trazer turistas para virem ver isto — sugeriu o jovem pescador.

Ainda o Sol não se pusera e já dúzias de pessoas contemplavam o velho navio a bordo de barcos a motor ou de pesca.

A Zé estava furiosa, mas não havia nada que pudesse fazer. A verdade é que o Júlio tinha razão: olhar não era proibido!

9. A CAIXA

A primeira coisa que as crianças fizeram a seguir ao pequeno-almoço foi ir buscar a preciosa caixa e levá-la para o alpendre do jardim onde guardavam as ferramentas. Estavam mortinhas por arrombá-la, pois não conseguiam deixar de acreditar que lá dentro estaria um tesouro qualquer.

O Júlio olhou em volta, à procura do utensílio indicado. Encontrou um cinzel e achou que era o ideal; bem tentou, mas a ferramenta escapou-lhe das mãos e esfolou-lhe os dedos. Tentaram outras coisas, mas a caixa recusava-se obstinadamente a abrir. As crianças deitaram-lhe olhares zangados.

— Já não sei o que fazer — confessou a Ana, por fim. — Resta-nos levá-la até ao telhado, ou assim, e atirá-la cá para baixo. Talvez se abra.

Os outros consideraram a ideia por um momento.

— Vale a pena tentar.... — acabou por dizer o Júlio. — O único problema é que o que quer que esteja dentro da caixa também se pode partir ou estragar.

Mas, como não parecia haver alternativa, o Júlio levou a caixa até ao sótão e abriu a janela. Os outros ficaram, lá em baixo, à espera. O Júlio atirou a caixa pela janela com toda a força e esta voou até cá abaixo, estatelando-se no chão.

Abriu-se imediatamente uma porta envidraçada e o tio Alberto saiu disparado.

— O que é que estão a fazer? — gritou. — Espero que não andem a atirar coisas uns aos outros pela janela! O que é isto aqui no chão?

As crianças olharam para a caixa. Tinha-se finalmente aberto e deixava ver um revestimento de metal à prova de água. O que estivesse lá dentro não estaria estragado ou encharcado — antes pelo contrário!

O David correu para a apanhar.

— Eu perguntei-vos o que é isto aqui no chão! — insistiu o tio, numa voz ainda mais feroz, dando um passo em direção ao rapaz.

— É... é uma coisa nossa — respondeu o David, muito atrapalhado.

— Nesse caso, fica comigo. A perturbarem-me desta maneira! Dá cá isso. Onde é que a encontraram?

Ninguém respondeu. O tio Alberto franziu ainda mais o sobrolho e os óculos caíram-lhe do nariz.

— Onde é que foram buscar isto? — vociferou, de olhos fixos na Ana, que era quem estava mais perto.

— Ao navio afundado — balbuciou a pobre rapariga, assustada.

— Ao navio afundado! — repetiu o tio, completamente apanhado de surpresa. — O velho navio que ontem veio à tona? Ouvi falar disso. Quer dizer que estiveram lá dentro?

— Sim — confessou o David.

O Júlio juntou-se ao grupo nesse momento, com um ar preocupado. Seria horrível se o tio lhes confiscasse a caixa, logo agora que tinham conseguido abri-la. Mas foi exatamente isso que aconteceu.

— Pois bem, esta caixa pode ter alguma coisa importante lá dentro — afirmou o tio, ao mesmo tempo que a tirava das mãos do David. — Não tinham nada de andar a bisbilhotar o navio, podiam ter tirado alguma coisa verdadeiramente importante!

— Mas o navio é meu! — exclamou a Zé, inconformada. — Por favor, pai, deixe-nos ficar com a caixa. Acabámos de a abrir, para ver se tinha alguma coisa lá dentro... uma barra de ouro, por exemplo.

— Uma barra de ouro! — disse o pai, com desdém. — Que bebés! Uma caixa tão pequena jamais teria tal coisa lá dentro. É muito mais provável que contenha informação sobre o que aconteceu às barras! Sempre pensei que o ouro tivesse sido desembarcado em segurança algures, e que o navio, já sem a carga, se tivesse afundado ao sair da baía.

— Ó pai, por favor, deixe-nos ficar com a caixa! — suplicou a Zé, quase a chorar.

Tivera de súbito a certeza de que encontrariam na caixa algo que revelasse o que acontecera ao ouro. Mas o pai virou-lhes as costas, sem mais uma palavra, e entrou em casa, levando consigo a caixa, aberta e partida, com o revestimento de metal bem visível. A Ana desfez-se em lágrimas.

— Não me culpem por lhe ter dito que a encontrámos no navio. Por favor… Ele parecia tão zangado, tive mesmo de lhe dizer — disse, a soluçar.

— Não faz mal — consolou o Júlio, abraçando-a.

Mas estava furioso — o tio não tinha o direito de lhes tirar a caixa!

— Oiçam, isto não fica assim! Vamos arranjar maneira de recuperar a caixa e ver o que está lá dentro. Tenho a certeza de que o teu pai nunca mais vai pensar no assunto, Zé. Quando voltar ao livro, nem se vai lembrar de que a caixa existe. Vou ficar à coca, à espera de uma oportunidade para entrar no escritório e surripiá-la, mesmo que fique de castigo se for apanhado!

— Boa! — aprovou a Zé. — Vamos todos ficar à espreita!

E assim foram fazendo turnos para vigiar o tio Alberto. Mas, para grande irritação coletiva, ele não saiu do escritório durante o resto da manhã. A tia Clara ficou muito admirada por ver sempre uma ou duas das crianças no jardim, em vez de irem para a praia.

— Porque é que não vão todos juntos nadar ou fazer outra coisa qualquer? Zangaram-se, foi?

— Não — retorquiu o David. — Claro que não!

Mas não explicou o que é que estavam a fazer no jardim.

— O teu pai *nunca* sai dali? — perguntou à Zé, quando chegou a vez de a rapariga ficar de vigia. — Não me parece um estilo de vida lá muito saudável.

— Os cientistas são mesmo assim — respondeu a Zé, como se soubesse muito sobre o assunto. — Mas olha... talvez ele passe pelas brasas mais logo... às vezes dorme a sesta.

Nessa tarde coube ao Júlio ficar no jardim. Sentou-se por baixo de uma árvore a ler um livro. Mas, de súbito, ouviu um ruído que o fez esquecer a leitura — reconheceu imediatamente a origem!

— É o tio Alberto a ressonar! Será que consigo abrir a porta e apanhar a caixa? — disse para si mesmo, muito entusiasmado.

Aproximou-se das janelas e espreitou. Uma delas estava entreaberta, e o Júlio abriu-a ainda mais. Viu o tio recostado numa poltrona confortável, com a boca ligeiramente aberta e os olhos fechados, a dormir profundamente! Ressonava a bom ressonar.

«Está mesmo a dormir», pensou o rapaz. «E a caixa está ali atrás dele, naquela mesa. Vou arriscar. Estou metido numa bela alhada se for apanhado, mas tem de ser...»

Avançou sorrateiramente, enquanto o tio continuava a ressonar. O Júlio aproximou-se da mesa em bicos de pés e conseguiu agarrar na caixa.

Nesse preciso momento, porém, um pedaço de madeira soltou-se da caixa e caiu ao chão com um baque! O tio mexeu-se e abriu os olhos. Rápido como um relâmpago, o rapaz agachou-se atrás da cadeira, mal se atrevendo a respirar.

— Quem está aí? — ouviu o tio a perguntar.

O Júlio permaneceu imóvel. O tio recostou-se novamente e voltou a fechar os olhos. Pouco depois, ressonava outra vez ritmicamente.

«Que sorte! Voltou a adormecer», pensou o Júlio. Levantou-se devagarinho, sempre a segurar na caixa, e dirigiu-se pé ante pé até à porta. Saiu sorrateiramente e atravessou com discrição o jardim. Nem lhe passou pela cabeça esconder a caixa — só queria ir ter com os outros para lhes contar o que se passara!

Correu para a praia, onde os irmãos e a prima estavam a apanhar sol.

— Ei! Ei! Já a tenho! Já a tenho! — gritou.

Levantaram-se todos imediatamente e ficaram doidos de alegria quando viram a caixa nas mãos do Júlio — esqueceram-se completamente de que não estavam sozinhos na praia! O Júlio deixou-se cair na areia com um grande sorriso na cara.

— O teu pai adormeceu, Zé... *Tim*, deixa lá de me lamber! Eu entrei no escritório, e depois caiu um bocado da caixa ao chão — e ele acordou!

— Oh, não! — exclamou a Zé. — E depois?

— Escondi-me atrás da cadeira até ele voltar a adormecer. E depois fugi a correr! Vejamos o que temos aqui... não acredito que o teu pai nem sequer lhe tenha dado uma vista de olhos!

Mas não tinha mesmo. O revestimento de estanho estava intacto. Enferrujara ao fim de tantos anos na água, e a tampa estava tão apertada que era impossível tirá-la.

Mas, quando a Zé começou a raspar a ferrugem com o canivete, a tampa foi dando de si, e ao fim de um quarto de hora estava solta.

Inclinaram-se os quatro para ver o que havia lá dentro. Mas só viram uns papéis velhos e um livrinho de capa preta. Mais nada — nada de barras de ouro, nada de tesouro. Todos ficaram desapontados.

— Nem sequer estão húmidos! — espantou-se o Júlio. — O revestimento manteve tudo completamente seco.

Pegou no livro e abriu-o.

— É o diário de bordo do teu tetravô, Zé. Mal dá para ler o que está escrito, é tão velho e minúsculo!

A Zé agarrou num dos papéis. Era um pergaminho espesso, amarelecido pelo tempo. A rapariga estendeu-o na areia e contemplou-o. Os outros também olharam, mas não conseguiram dizer o que era, embora se tratasse claramente de um mapa.

— Talvez seja o mapa de algum sítio onde ele tivesse de ir — sugeriu o Júlio.

Mas, de repente, as mãos da Zé começaram a tremer, e os olhos pareciam faúlhas quando olhou para os primos. Abriu a boca, mas não saiu qualquer som.

— O que é que se passa? Perdeste o pio? — perguntou o Júlio.

A Zé abanou a cabeça e desatou a falar muito depressa.

— Júlio, isto é um mapa do castelo, do castelo de Kirrin, quando ainda não estava em ruínas! Inclui as masmorras... E olha o que está escrito aqui!

Apontou, com o dedo a tremer, para uma parte do mapa das masmorras, e os outros aproximaram-se para ver melhor. A Zé mostrava-lhes uma única palavra, escrita numa caligrafia antiga:

LINGOTES

— Lingotes! — disse a Ana, intrigada. — O que é isso? Nunca ouvi tal coisa.

Mas os rapazes sabiam o que significava.

— Lingotes! — exclamou o David. — Devem ser as barras de ouro. Antigamente dizia-se lingotes.

— Chama-se lingotes à maior parte das barras de metal — explicou o Júlio, corado de tanta excitação. — Mas nós sabemos que o que estava no barco era ouro, por isso tudo indica que lingotes aqui quer mesmo dizer barras de ouro! Já pensaram que talvez ainda estejam escondidas debaixo do castelo? Zé, não é espantoso?

A Zé fez que sim com a cabeça, ainda a tremer de entusiasmo.

— Se ao menos conseguíssemos encontrá-las… — murmurou. — Imaginem só!

— Vamos procurar como deve ser! — prometeu o Júlio. — Vai ser difícil, com o castelo em ruínas e tanta vegetação. Mas havemos de encontrar esses lingotes! Que palavra maravilhosa! Lingotes! Lingotes! Lingotes!

Soava muito melhor do que «ouro», e nunca mais ninguém proferiu tal palavra — a partir desse momento, só havia «lingotes»! O *Tim* é que não percebia o motivo de tanta agitação. Abanou a cauda com força e tentou dar uma lambidela a um e depois a outro... mas, pela primeira vez, ninguém lhe deu atenção! Não conseguia mesmo entender e, ao fim de algum tempo, afastou-se e sentou-se cabisbaixo, de costas para as crianças.

— Oh, vejam só, coitadinho do *Tim*! Não consegue perceber porque é que estamos tão entusiasmados. *Tim*! *Tim*! Anda cá, está tudo bem, não estamos zangados contigo! Ó *Tim*, temos o melhor segredo do mundo — cantarolou a Zé.

O *Tim* levantou-se imediatamente, com a cauda a abanar, feliz por voltarem a reparar nele.

— Temos de ter imenso cuidado com este mapa! — disse o Júlio.

Depois olhou para os outros e franziu a testa.

— O que fazemos com a caixa? Mais cedo ou mais tarde, o pai da Zé vai dar pela falta dela. Temos de a devolver.

— Não podemos tirar só o mapa e ficar com ele? — sugeriu o David. — Se nunca abriu a caixa, e nós temos quase a certeza de que não abriu, o tio Alberto não tem como saber que ele lá estava. E as outras coisas não são assim tão importantes — é só aquele diário e umas cartas.

— Para jogar pelo seguro, vamos fazer uma cópia do mapa — contrapôs o Júlio. — Assim podemos voltar a guardar o verdadeiro na caixa.

Todos acharam que era uma ideia ótima. Regressaram a casa e copiaram o mapa com muito cuidado. Fizeram-no no alpendre, para ninguém os ver. Era um mapa peculiar, dividido em três partes.

— Esta parte corresponde às masmorras. E esta é uma planta do piso térreo do castelo; a da parte de cima está aqui — explicou o Júlio. — Na altura, devia ser um castelo mesmo imponente! As masmorras cobrem a sua área total. Aposto que eram um sítio horroroso. Mas não dá para perceber como é que se chega lá.

— Temos de estudar bem o mapa, para ver se descobrimos — disse a Zé. — Aqui parece tudo uma grande confusão; mas se olharmos para ele no próprio castelo, talvez seja mais fácil perceber como é que se entra nas masmorras. Oh, tenho a certeza de que somos os primeiros miúdos a viver uma aventura assim!

O Júlio colocou o mapa copiado no bolso das calças, com muito cuidado. Fazia tenções de não se separar dele por um minuto, era um bem precioso! Depois voltou a meter o mapa verdadeiro na caixa e olhou na direção da casa.

— E se fosse lá devolvê-la agora, Zé? Talvez o teu pai ainda esteja a dormir.

Mas não estava — estava bem acordado. Felizmente, nem dera pela falta da caixa. Foi até à sala para lanchar com o resto da família e o Júlio aproveitou a oportunidade. Inventou uma desculpa, levantou-se da mesa e foi a correr colocar a caixa de novo em cima da mesa atrás da cadeira do tio!

De regresso, piscou o olho aos outros, e o alívio foi enorme. Tinham imenso medo do tio Alberto e queriam por tudo evitar problemas com ele. A Ana não abriu a boca durante toda a refeição, não fosse falar demais sobre o *Tim* ou a caixa. Os outros também pouco disseram. Enquanto estavam à mesa, o telefone tocou e a tia Clara foi atender.

Regressou pouco depois.

— É para ti, Alberto. Aquele navio está a dar que falar. São uns jornalistas, querem fazer-te umas perguntas.

— Diz-lhes que venham por volta das seis — respondeu o tio Alberto.

As crianças trocaram olhares, alarmadas. Esperavam que o tio não mostrasse a caixa aos jornalistas. Se o fizesse, o segredo do ouro escondido seria descoberto!

— Ainda bem que fizemos uma cópia do mapa! — disse o Júlio, depois do lanche. — Mas já estou arrependido de termos deixado o verdadeiro na caixa. Será que mais alguém vai descobrir o nosso segredo?

10. UMA OFERTA SURPREENDENTE

Na manhã seguinte, a forma extraordinária como o velho barco saíra do fundo do mar estava em todos os jornais. O tio Alberto revelara aos jornalistas tudo sobre o navio e o ouro desaparecido, e alguns conseguiram mesmo ir até à ilha de Kirrin tirar fotografias ao castelo.

A Zé estava fula.

— O castelo é meu! A ilha é minha! Disseste que eram meus, não foi? — berrou ela à mãe.

— Eu sei, Zé. Mas tens mesmo de ser razoável, filha. Não faz mal nenhum à ilha ter lá gente a tirar fotografias ao castelo.

— Mas eu não quero! — retorquiu a rapariga, com uma expressão pesarosa e zangada. — São meus! E o navio também! Eu acreditei em ti!

— A verdade é que eu não podia imaginar que viria à superfície desta maneira. Por favor, sê razoável. Qual é o problema de haver pessoas a olhar para os destroços? Não as podes impedir, pois não?

Lá por a Zé não poder de facto impedi-lo, isso não a deixava menos furiosa. As crianças estavam pasmadas com o interesse que o navio despertava e, em consequência, a própria vila de Kirrin estava na berlinda. Havia turistas de todo o lado, e os pescadores conseguiram dar com a pequena enseada e levavam gente à ilha. A Zé chorava de raiva e o Júlio tentava desesperadamente consolá-la.

— Ouve, Zé: por ora, ninguém mais conhece o nosso segredo. Deixa passar esta loucura toda e nós vamos à ilha à procura dos lingotes.

— Se ninguém os encontrar antes, não é? — respondeu a Zé, enxugando os olhos.

Estava furibunda consigo mesma por não conseguir conter as lágrimas.

— E porque é que haviam de encontrar? Ainda ninguém viu o conteúdo da caixa, pois não? Vou ver se tenho oportunidade de voltar ao escritório e tirar de lá o mapa, antes que seja tarde demais.

Mas não houve oportunidade, porque aconteceu uma coisa horrível: o tio Alberto vendeu a velha caixa a um antiquário! Um dia ou dois depois de a agitação toda ter começado, saiu do escritório radiante e anunciou à tia Clara e às crianças:

— Fiz um excelente negócio! Lembram-se daquela caixa velha revestida a estanho? Apareceu aí um tipo que coleciona coisas dessas e fez-me uma oferta espetacular! Mesmo boa, acreditem. Mais do que eu posso esperar com o meu livro! Mal viu o mapa e o diário, disse logo que comprava tudo!

As crianças fitaram-no, horrorizadas. A caixa fora vendida! Agora por certo alguém iria analisar o mapa e decifrar o significado de «lingotes», já que a história das barras de ouro desaparecidas estava em todos os jornais. Era impossível não perceber, bastava olhar para o mapa com atenção!

Mas as crianças não se atreveram a contar ao tio Alberto tudo o que sabiam. Era verdade que ele agora era todo sorrisos, e até prometera que lhes ia oferecer canas de pesca e uma jangada... mas ele era tão imprevisível! Podia perder a cabeça se soubesse que o Júlio levara a caixa e a abrira enquanto ele estava a dormir.

Quando ficaram a sós, as crianças discutiram o assunto. As coisas estavam a ficar sérias. Ainda puseram a hipótese de contar tudo à tia Clara, mas tinham um segredo tão precioso e emocionante que não lhes apetecia mesmo nada revelá-lo a ninguém.

— Ouçam! Vamos perguntar à tia Clara se podemos ir passar um dia ou dois à ilha — e dormir lá! Assim temos tempo para vasculhar tudo e talvez encontremos alguma coisa. Não tarda, os turistas vão-se embora; ainda podemos chegar lá antes que mais alguém descubra o segredo. Não se esqueçam de que pode nem passar pela cabeça do homem que comprou a caixa que o mapa é da ilha de Kirrin!

Ficaram mais animados. A sensação de impotência era tão exasperante! Mal começaram a fazer planos, sentiram-se mais calmos e entusiasmados. Decidiram falar com a tia no dia seguinte e perguntar-lhe se podiam passar o fim de semana no castelo. O tempo estava fantástico, ia ser ótimo. Podiam ir bem abastecidos de comida.

Quando foram fazer o pedido, o tio Alberto estava com a tia Clara. Continuava muito bem-disposto, até deu uma palmada nas costas do Júlio e tudo.

— Então, contem lá... qual é o objetivo da delegação?

— Queremos pedir uma coisa à tia Clara — disse o Júlio, com delicadeza. — Tia, o tempo está tão bom... Será que podemos ir passar o fim de semana ao castelo de Kirrin? Por favor, gostávamos tanto!

— Não sei... O que é que achas, Alberto?

— Por mim, se querem, podem ir. É melhor aproveitarem enquanto podem. Recebemos uma proposta incrível em relação à ilha! Alguém quer comprá-la, restaurar o castelo, transformá-lo num hotel e fazer da ilha um destino turístico a sério! Que tal?

As crianças ficaram a olhar para ele, em estado de choque. Não queriam acreditar! A ilha ia ser vendida! Já teriam descoberto o segredo? Será que o comprador estudara o mapa e sabia que havia ouro escondido na ilha?

A Zé emitiu um som abafado. Os olhos brilhavam como se estivessem a arder.

— Mãe! Não podem vender a minha ilha! Não podem vender o meu castelo! Não vou deixar!

O pai franziu o sobrolho.

— Não sejas palerma, Maria José. Sabes que na verdade não são teus. Pertencem à tua mãe, e é óbvio que ela já os teria vendido, se pudesse. Precisamos mesmo de dinheiro. Vamos poder comprar-te montes de coisas depois de vendermos a ilha.

— Quero lá coisas! As únicas coisas que quero são o meu castelo e a minha ilha — ripostou a pobre Zé, de cabeça perdida. — Mãe! *Tu* disseste que eram meus! Sabes que sim! E eu acreditei!

— Zé, o que eu queria dizer é que eram teus para poderes brincar lá à vontade, quando achava que não valiam nada — defendeu-se a tia Clara, nitidamente muito incomodada com o que se passava. — Mas agora as coisas mudaram; ofereceram-nos mesmo muito dinheiro, muito mais do que julgávamos possível. E não estamos em condições de recusar.

— Então só me deste a ilha porque achavas que não valia um caracol! Mal passa a valer dinheiro, é tua outra vez. Acho incrível! Não é... não é *honesto*! — gritou a Zé, com o rosto pálido e enraivecido.

— Já chega, Maria José! — interveio o pai, agora também furioso. — Ainda és uma criança. A tua mãe não estava a falar a sério, só te quis agradar. E sabes muito bem que o dinheiro que recebermos também é para ti. Vais poder ter tudo o que quiseres.

— Não vou tocar num cêntimo! — garantiu a Zé, com a voz embargada. — Vão arrepender-se disto tudo!

Virou as costas aos pais e saiu da sala num passo trémulo. Os outros ficaram cheios de pena dela, percebendo o quanto lhe custava perder a ilha e o castelo. Ainda por cima, a Zé levava tudo a peito. O Júlio achava que ela não percebia o mundo dos adultos — não valia a pena discutir com eles, faziam sempre o que queriam. Se queriam tirar-lhe o castelo e a ilha, tiravam, e pronto. Mas o que o tio Alberto não sabia é que talvez houvesse carradas de lingotes na ilha! O Júlio olhou para o tio e ponderou se devia avisá-lo ou não — mas acabou por optar pela negativa. Ainda havia a hipótese de as crianças serem as primeiras a dar com o ouro.

— Quando é que vão vender a ilha, tio? — perguntou, discretamente.

— Vamos assinar a escritura dentro de mais ou menos uma semana — foi a resposta. — Por isso, se querem mesmo ir lá passar uns dias, tem de ser em breve. Depois, podem não ter permissão do novo dono.

— É a mesma pessoa que comprou aquela caixa velha? — inquiriu o Júlio.

— Sim. Até achei estranho, pensei que só comprava antiguidades. Fiquei mesmo surpreendido com a ideia de alguém comprar a ilha para transformar o castelo num hotel. Mas, pensando bem, é capaz de dar muito dinheiro. Uma ilha assim pode ser muito romântica, as pessoas vão gostar. Eu não percebo nada de negócios, e jamais me passaria pela cabeça investir num sítio como a ilha de Kirrin, mas ele lá deve saber o que está a fazer.

«Aposto que sim», pensou o Júlio, enquanto saía da sala com o David e a Ana. «Estudou o mapa e chegou à mesma conclusão que nós: o ouro está escondido algures na ilha. E agora vai atrás dele. Não vai construir hotel nenhum, vai é procurar o tesouro! Deve ter oferecido ao tio Alberto uma quantia irrisória, e o pobre achou que era imenso. Que coisa mais horrível!»

Foi à procura da Zé. Encontrou-a no alpendre, muito pálida. Disse que estava maldisposta.

— É por estares tão nervosa.

Colocou o braço à volta dos ombros da prima e, pela primeira vez, a Zé não o repeliu. Sentiu-se reconfortada. Tinha os olhos marejados de lágrimas e tentava pestanejar para as reprimir.

— Ouve, Zé. Não podemos perder a esperança. Amanhã vamos até à ilha e faremos tudo, mas mesmo tudo, para descer às masmorras e encontrar os lingotes. E só nos vimos embora quando os tivermos achado, OK? Agora anima-te, que vamos precisar de ti para planear tudo. Ainda bem que fizemos a cópia do mapa!

A Zé ficou mais animadita. Ainda estava zangada com os pais, mas a ideia de ir passar um dia ou dois na ilha de Kirrin, com o *Tim*, era certamente animadora.

— Acho que os meus pais estão a ser cruéis.

— Na verdade, não estão, Zé — respondeu o Júlio, fazendo um esforço por ser justo. — Vocês precisam mesmo de dinheiro; era uma estupidez não vender uma coisa que eles acham que não serve para nada. Além do mais... o teu pai disse que podias ter o que quisesses, não foi? Se fosse eu, já sabia o que ia pedir.

— O quê?

— O *Tim*, claro!

Como é óbvio, esta conversa foi suficiente para a Zé ficar mais alegre e com um sorriso nos lábios.

11. A CAMINHO DA ILHA

O Júlio e a Zé foram à procura da Ana e do David, que estavam à espera deles no jardim, com um ar desolado. Ficaram muito contentes quando os viram chegar e foram ter com eles a correr.

A Ana pegou nas mãos da Zé.

— Estou tão triste por causa da tua ilha, Zé.

— Eu também — acrescentou o David.

A Zé conseguiu esboçar um sorriso.

— Tenho estado a comportar-me como uma rapariga — confessou, meio envergonhada. — Mas tive um grande choque.

O Júlio contou aos outros o que tinham planeado.

— Iremos amanhã de manhã. Temos de fazer uma lista de tudo o que precisamos. Vamos já tratar disso.

Tirou do bolso um lápis e um bloco de notas.

— Comida! — sugeriu imediatamente o David. — E muita, porque vamos ter fome.

— E algo para beber — continuou a Zé. — Não há água potável na ilha. Acho que antigamente havia um poço de água doce, que ia até abaixo do nível do mar, mas nunca o encontrei.

— Comida. Bebidas — escreveu o Júlio.

Levantou os olhos e prosseguiu:

— Pás — disse, com um ar grave, anotando a palavra.

A Ana ficou surpreendida.

— Para quê?

— Vamos ter de escavar quando estivermos à procura das masmorras.

— Cordas — lembrou o David. — Também podemos precisar delas.

— E lanternas — sugeriu a Zé. — As masmorras devem ser escuras como breu.

— Oh! — exclamou a Ana, sentindo um arrepio a percorrer-lhe a espinha. Não fazia ideia de como seriam as masmorras, mas começava a achar que deviam ser mesmo emocionantes.

— Mantas — prosseguiu o David. — Se dormirmos naquele quartinho, vamos ter frio durante a noite.

O Júlio foi escrevendo tudo o que os outros diziam.

— Canecas. E é melhor levarmos ferramentas; podemos precisar delas, nunca se sabe… — acrescentou.

Ao fim de meia hora, a lista era longa e todos se sentiam muito contentes e entusiasmados. A Zé começava a ultrapassar a raiva e a desilusão. Se estivesse sozinha a matutar em tudo, teria ficado mais e mais zangada e cada vez mais intratável — mas os primos eram tão calmos, razoáveis e otimistas, que era impossível ficar de mau humor muito tempo ao pé deles.

«Talvez eu fosse uma pessoa bem mais simpática se não tivesse passado a vida toda sozinha», meditou, enquanto observava a cabeça inclinada do Júlio. «Falar sobre as coisas ajuda tanto! Deixam de parecer tão horríveis, tornam-se mais toleráveis e normais. Gosto mesmo dos meus três primos. Gosto deles porque conversam e riem, e estão sempre bem-dispostos. E são generosos. Quem me dera ser como eles. Eu sou rabugenta e agressiva, e tenho um péssimo feitio — não admira que o pai fique chateado e passe a vida a ralhar comigo. A mãe é uma querida, mas percebo porque é que está sempre a dizer que sou difícil. Não sou como os meus primos — eles são fáceis de compreender e toda a gente gosta deles. Ainda bem que vieram para cá! Estão a tornar-me numa pessoa melhor.»

Foi um pensamento longo, e a Zé esteve sempre com uma cara invulgarmente séria. O Júlio levantou a cabeça e viu os olhos azuis da prima fixos nele. Sorriu.

— O que é que se passa nessa cabeça?

— Nada de importante — respondeu a Zé, corando. — Estava só a pensar em como é bom ter-vos cá; e em como gostava de ser como vocês.

— Mas nós gostamos de ti assim! Passaste muito tempo sozinha, é só isso — retorquiu o Júlio, surpreendido. — Acho que és uma pessoa fascinante.

A Zé corou ainda mais e sentiu-se feliz.

— Vamos levar o *Tim* a dar um passeio. Deve estar muito admirado por ainda não termos aparecido por lá hoje — sugeriu.

E lá foram, todos juntos. O *Tim* recebeu-os em euforia, a ladrar muito alto. Partilharam com ele os planos para o dia seguinte e o cão foi abanando a cauda e olhando para eles com os seus olhos castanhos, muito meigos, como se estivesse a perceber tudo.

— Deve estar muito contente por poder passar connosco dois ou três dias inteirinhos — disse a Ana.

Na manhã seguinte todos transbordavam de entusiasmo. Levaram tudo para o barco e arrumaram as coisas com muito cuidado num canto. O Júlio leu a lista em voz alta, para garantir que não se esqueciam de nada.

— Trouxeste o mapa? — lembrou-se o David.

O Júlio fez que sim com a cabeça.

— Vesti umas calças lavadas esta manhã, mas não me esqueci de meter o mapa no bolso. Aqui está ele!

Tirou-o do bolso das calças — mas veio uma rabanada de vento que lho arrancou das mãos! Caiu ao mar e ficou a boiar ao sabor do vento. As quatro crianças deram um grito de desespero. O seu precioso mapa!

— Depressa! Vamos remar até lá! — urgiu a Zé, fazendo o barco dar meia volta.

Mas houve quem fosse mais rápido do que ela! O *Tim* vira o papel a fugir das mãos do Júlio e ouvira e compreendera os gritos das crianças. Com um enorme chape, saltou para a água e nadou corajosamente até ao mapa.

Para cão nadava muito bem, porque era forte e possante. Não demorou muito a agarrar o mapa com os dentes e a nadar de volta para o barco. As crianças acharam-no um verdadeiro herói!

A Zé içou-o para bordo e tirou-lhe o mapa da boca. Mal se viam as marcas dos dentes, pois ele trouxera-o com todo o cuidado! As crianças temeram que o mapa tivesse desbotado por causa da água, mas o Júlio fizera uns traços bem profundos e, apesar de ensopado, o mapa não se tinha estragado. Deixaram-no a secar ao sol num dos bancos, com o David a segurar.

— Foi por pouco! — disse ele. E os outros concordaram.

A Zé voltou a pegar nos remos e puseram-se de novo a caminho da ilha. O *Tim* salpicou toda a gente quando sacudiu a água do pelo. Mas recebeu à mesma um biscoito como recompensa, comendo-o com grande satisfação.

A Zé manobrou o barco com segurança por entre as rochas. Os primos continuavam a não perceber como é que ela conseguia fazer o barco deslizar pelos perigosos rochedos sem ficar com um arranhão sequer. Foram até à pequena enseada e desembarcaram na areia. Tiveram o cuidado de arrastar o barco até ao cimo do penhasco, não fosse a maré invadir a baía, e começaram a descarregar as coisas.

— Vamos levar tudo até ao quarto no castelo. Lá, as coisas ficam em segurança, e protegidas, caso chova. Só espero que não venha mais ninguém à ilha enquanto cá estivermos, Zé — observou o Júlio, a quem passara pela cabeça que talvez não fosse mal pensado ter sempre alguém de vigia na enseada, para avisar os outros caso chegassem visitantes indesejados.

— Não me parece — respondeu a Zé. — O pai disse que ainda falta para aí uma semana para a escritura. Até lá, a ilha é nossa. Temos uns cinco dias, portanto.

— OK. Então não precisamos de nos manter alerta. Vá, vamos lá! David, leva tu as pás. Eu e a Zé levamos a comida e as bebidas, e a Ana pode ficar com as coisas mais pequenas.

Os mantimentos estavam num grande caixote, porque as crianças não queriam mesmo passar fome enquanto estivessem na ilha! Tinham trazido pão, manteiga, bolachas, doce, fruta enlatada, ameixas maduras, cerveja de gengibre, uma chaleira para fazer chá, e tudo o que apanharam à mão! A Zé e o Júlio subiram com alguma dificuldade pelo penhasco acima com o pesado caixote entre os dois. Mas tiveram de o pousar mais do que uma vez para descansar!

Colocaram tudo no quartinho de pedra. Depois regressaram ao barco, para irem buscar o monte de mantas e cobertores. Arrumaram-nos a um canto e ficaram muito entusiasmados com a perspetiva de passar ali a noite.

— As raparigas podem dormir as duas em cima desta pilha de mantas— propôs o Júlio. — E nós ficamos com aquela ali.

A Zé não pareceu muito contente por ficar com a Ana e ser classificada de «rapariga», mas a Ana não queria dormir sozinha e lançou-lhe um olhar tão suplicante que a rapariga mais velha se limitou a sorrir, não levantando objeções. A Ana achou que a prima estava cada vez mais simpática.

— Ao trabalho, pessoal! — instigou o Júlio, pegando no mapa. — Temos de estudar isto com muita atenção, para percebermos onde é que fica exatamente a entrada das masmorras. Venham daí, temos de dar o nosso melhor e puxar pela cabeça. Não vamos deixar que o tipo que comprou a ilha leve a melhor!

Debruçaram-se os quatro sobre a cópia do mapa. Já estava completamente seca e as crianças estudaram-na atentamente. Era óbvio que, noutros tempos, o castelo fora imponente.

— Vejam — comentou o Júlio, apontando para a planta das masmorras. — Se isto estiver bem, cobrem a área inteira do castelo; e aqui, e também aqui, há uns símbolos que parecem representar degraus ou escadas.

— Sim, acho que tens razão — concordou a Zé. — Dá a ideia de que existem duas entradas. Uma delas não deve ser muito longe deste quarto, e a outra parece ficar para os lados daquela torre. E o que será isto, Júlio?

Apontava para um círculo que aparecia não só na planta das masmorras, mas também na do piso térreo do castelo.

— Não faço ideia — respondeu o Júlio, intrigado. — Espera, acho que já sei! Disseste que havia algures um poço, não foi? Talvez seja isso. Teria de ser extraordinariamente profundo para chegar à água doce por baixo do mar, por isso deve atravessar as masmorras. Não é fantástico?

Toda a gente concordou. Sentiam-se felizes e confiantes. Havia decididamente algo para descobrir — que teriam de desvendar nos dias seguintes.

Olharam uns para os outros.

— Bem… — disse o David. — Por onde começamos? Vamos tentar encontrar a entrada das masmorras aqui ao pé? Pode ficar por baixo de uma destas pedras, já pensaram? Uma que se possa levantar…

A ideia era tão aliciante que se puseram todos de pé num pulo. O Júlio dobrou o mapa e voltou a metê-lo no bolso. Depois olhou em volta. O chão de pedra do quarto estava coberto de pequenas plantas, que teriam de ser arrancadas antes de mais.

— Mãos à obra! — exclamou o Júlio, pegando ele próprio numa pá. — Vamos dar cabo destas ervas. Raspem assim com a pá. E a seguir examinamos as pedras uma a uma!

Havia pás para todos, e não tardou a que só se ouvisse o som do metal contra a pedra, enquanto as crianças arrancavam a vegetação rasteira. Não era uma tarefa muito complicada, e todos se dedicaram a ela de alma e coração.

O *Tim* estava a adorar. Não percebia que coisa é que os amigos estavam a fazer, mas juntou-se a eles com todo o gosto. Tanto raspou o chão com as quatro patas, que começaram a voar plantas e pedaços de terra por todo o lado.

— *Tim*! — queixou-se o Júlio. — Estás a exagerar um bocadinho! Não tarda desatam a voar pedras! Não é fantástico que o *Tim* alinhe em tudo o que fazemos?

E como trabalharam nessa manhã! Estavam desejosos de encontrar a entrada para as masmorras — seria tão, mas tão maravilhoso!

12. DESCOBERTAS EMOCIONANTES

Ao fim de pouco tempo, as pedras do quartinho estavam limpas de terra, areia e plantas. E as crianças puderam verificar que eram todas do mesmo tamanho — grandes e quadradas, bem encaixadas umas nas outras. Examinaram-nas cuidadosamente à luz da lanterna, à procura de uma que desse para levantar.

— O mais certo é que tenha uma argola de ferro, ou assim — disse o Júlio.

Mas não encontraram nada do género. Todas as pedras pareciam exatamente iguais. Foi uma grande desilusão.

O Júlio tentou inserir a pá nas rachas entre as pedras, para ver se por acaso conseguia deslocar alguma. Mas também não teve sorte, pois as pedras estavam bem assentes no solo.

Ao fim de quase três horas de trabalho árduo, as crianças decidiram ir comer.

Estavam esfomeadas e ficaram satisfeitas por haver tanta comida. Durante a refeição, aproveitaram para discutir o assunto.

— Parece que afinal a entrada não é neste quarto — lamentou-se o Júlio. — Que desilusão! Mas acho mesmo que aqui não há escadas para as masmorras. Vamos medir bem o mapa e ver se descobrimos com exatidão onde ficam as escadas, ou degraus, ou abertura, ou o que quer que seja. Também pode ser que a escala esteja toda mal feita e não nos dê qualquer ajuda, mas não se perde nada em experimentar.

E assim mediram tudo o melhor que puderam, para tentar encontrar o sítio exato. Mas não era fácil, porque as três plantas pareciam estar em escalas diferentes. O Júlio olhou para o mapa, intrigado, sem ver uma solução. Só faltava terem de procurar em todo o rés do chão do castelo! Iam demorar séculos…

— Olhem — disse a Zé, de repente, apontando para o círculo que aparentemente representava o poço. — A entrada para as masmorras não parece ficar muito longe do poço. Se ao menos o conseguíssemos encontrar, podíamos bater a zona em redor. O poço aparece nos dois mapas, e pelos vistos era mais ou menos no meio do castelo.

— Boa ideia — aplaudiu o Júlio. — Vamos para o centro do castelo! Tudo indica que o poço ficava mesmo no meio do pátio.

E lá foram para o sol, sentindo-se muito sérios e importantes. Procurar lingotes de ouro desaparecidos era tão emocionante! Todos tinham agora a certeza absoluta de que o ouro se encontrava algures debaixo dos seus pés. Nem lhes passava pela cabeça que pudesse não haver tesouro nenhum.

Uma vez no pátio que outrora fora o centro do castelo, vasculharam-no de uma ponta à outra, à procura de algo que pudesse ter sido em tempos um poço. Mas em vão — havia vegetação por todo o lado, para além de muita areia, arrastada pelo vento, arbustos e outras plantas. As pedras estavam quase todas partidas e tortas, e a maior parte coberta de areia e plantas.

— Olhem, um coelho! — gritou o David, quando viu um enorme a atravessar calmamente o pátio e a desaparecer.

Apareceu mais um, sentou-se, olhou para as crianças e também se foi. As crianças ficaram deliciadas — nunca tinham visto coelhos tão mansos! Surgiu um terceiro. Era mais pequeno do que os outros, mas tinha umas orelhas incrivelmente grandes e uma cauda minúscula. Ignorou completamente as crianças. Andou por ali a saltitar de um lado para o outro, e, para gáudio de toda a gente, às tantas sentou-se sobre as patas traseiras e começou a lavar as orelhas gigantes, puxando primeiro uma, e depois outra, com as patas da frente.

Já começava a ser demais para o *Tim*... Vira os outros dois a passar pelo pátio e a desaparecer sem sequer ladrar; mas este pequenote ali sentado a lavar as orelhas mesmo debaixo do seu nariz era mais do que qualquer cão do tamanho do *Tim* podia aguentar. Soltou um latido excitado e atirou-se sem mais demoras ao coelhito, que foi apanhado de surpresa.

Por um instante, nem se mexeu. Nunca tinha sido assustado ou caçado, por isso não sabia como reagir — limitou-se a olhar para o cão enorme que corria na sua direção com os olhos muito abertos. Mas depois deu meia volta e fugiu a grande velocidade, com a cauda branca a dar a dar. Sumiu por detrás de uma giesta ao pé das crianças, e o *Tim* foi atrás, acabando também por desaparecer.

Começou a chover terra e areia, porque o *Tim* fazia tanta questão de apanhar o coelho que raspava e escavava com fúria o buraco da toca, na esperança de conseguir entrar. Gania e ladrava de tanta excitação, e nem ouvia a voz da Zé a chamar por ele. Estava mesmo decidido a ir atrás daquele coelho! Tanto esgravatou que conseguiu de facto alargar a entrada da toca.

— *Tim*! Estás a ouvir-me? Sai já daí! Sabes muito bem que estás proibido de caçar coelhos! És mesmo mau! Sai imediatamente daí! — gritou a Zé.

Mas o *Tim* não obedeceu. Continuou a escavar desalmadamente, e a Zé teve de ir atrás dele. Quando estava a chegar à giesta, o ruído cessou — ouviu-se um último latido, e mais nada. A Zé espreitou por debaixo do arbusto espinhoso e ficou abismada.

O *Tim* desaparecera! Pura e simplesmente, desaparecera. Via-se uma grande toca de coelho — agora ainda maior, graças aos esforços do *Tim* —, mas do cão nem sinal.

— Júlio, não vejo o *Tim* — disse, numa voz assustada. — Não pode ter caído na toca, pois não? É grande demais para isso, não é?

As crianças aglomeraram-se à volta da grande giesta. Escutaram um ganido abafado vindo de algures. O Júlio ficou para morrer.

— Está dentro da toca! Que estranho! Nunca ouvi falar de cães a entrar dentro de tocas de coelho. E agora? Como é que o tiramos de lá?

— Para começar, temos de arrancar esta giesta — afirmou a Zé, numa voz determinada. — Se fosse preciso, escavava o castelo todo para encontrar o *Tim*! Não suporto ouvir o coitado a ganir desta maneira sem fazer tudo o que estiver ao meu alcance para o ajudar.

O arbusto tinha demasiados espinhos para se poder espreitar por baixo, e o Júlio deu graças a Deus por se terem lembrado de trazer ferramentas. Foi buscar um machado pequeno, que serviria na perfeição para decepar os ramos e o tronco da giesta. As crianças meteram mãos à obra, e rapidamente o pobre arbusto ficou com um ar desolador.

Mas levaram imenso tempo a dar cabo dele por completo, porque era resistente e cheio de espinhos. Acabaram com as mãos todas arranhadas, mas lá conseguiram reduzi-lo a um simples cepo. A toca estava agora bem visível, e o Júlio iluminou-a com a lanterna. Soltou um grito de surpresa.

— Já sei o que aconteceu! O velho poço é aqui! A toca era exatamente ao lado, e quando o *Tim* a escavou, apanhou parte do poço e caiu lá dentro!

— Oh, não! — gritou a Zé, em pânico. — *Tim*, *Tim*, estás bem?

Chegou-lhes aos ouvidos um ganir distante. Era óbvio que o *Tim* estava ali algures. As crianças trocaram olhares.

— Bem, só nos resta fazer uma coisa: vamos buscar as pás e acabar de escavar a abertura do poço. Depois talvez possamos usar uma corda para trazer o *Tim*.

Começaram a trabalhar com as pás. Não foi muito difícil, porque o poço estava obstruído apenas pelas raízes da giesta, terra, areia e pequenos seixos. A certa altura, caíra uma grande laje de uma parte da torre em frente, fechando-o parcialmente. O clima e o enorme arbusto fizeram o resto.

Tiveram de fazer força em conjunto para conseguir remover a laje. Por baixo, encontraram uma tampa de madeira completamente podre, que claramente servira em tempos idos para proteger o poço. Tinha apodrecido tanto que, quando o *Tim* lhe caiu em cima, cedeu, abrindo um buraco suficientemente grande para o cão cair lá dentro.

O Júlio retirou a velha tampa de madeira e as crianças puderam então olhar lá para baixo. O poço era muito profundo e escuro, não dava para ver o fim. O Júlio agarrou numa pedra e atirou-a. Ficaram à espera de a ouvir cair, mas ou já não havia água, ou era tão fundo que o som não chegava cá acima.

— Acho que é demasiado fundo para conseguirmos ouvir — observou o Júlio. — Mas onde é que está o *Tim*?

Apontou a lanterna para o poço — e lá estava o *Tim*! Muitos anos antes, tinha-se soltado outra laje, mas do próprio poço, e ficara atravessada um pouco mais abaixo; e era aí que estava o pobre cão, a olhar para cima, aterrorizado. Não conseguia perceber o que tinha acontecido.

Havia uma velha escada de ferro presa à parede do poço, e, antes que alguém pudesse fazer alguma coisa, a Zé já descia por ela abaixo — queria lá saber se aguentava com o peso dela ou não! Chegou ao *Tim*, conseguiu metê-lo às cavalitas e, mantendo-o bem seguro com uma mão, trepou, devagarinho, pelas escadas acima. Os outros três içaram-na para a superfície, e o *Tim* desatou logo aos pulos à volta da dona, a ladrar e a cobri-la de lambidelas.

— Bem, *Tim*... — disse o David. — Agora já sabes que não deves andar atrás dos coelhos. Mas fizeste-nos um grande favor: encontraste o poço! Já só temos de procurar aqui nas imediações!

Voltaram ao trabalho, à procura dos degraus que dariam acesso às masmorras. Enfiaram as pás por baixo de todos os arbustos e levantaram as pedras soltas, em busca de um buraco, por pequeno que fosse, que pudesse revelar a entrada das masmorras. Estavam fatigados, mas entusiasmadíssimos!

E, de repente, a Ana encontrou-a! Foi mais ou menos por acaso. Estava estafada e sentou-se para descansar um bocadinho. Acabou por se deitar de bruços, a remexer a areia distraidamente, até que os dedos tocaram em algo duro e frio. Afastou imediatamente a areia... e viu uma argola de metal. Deu um berro e todos se viraram para ela.

— Está aqui uma pedra com um argola de ferro!

Os outros foram ter com ela a correr. O Júlio utilizou a pá para destapar o resto da pedra. De facto, tinha uma argola... e ninguém coloca argolas de ferro em pedras a não ser que as queira levantar mais tarde! Tiveram a certeza de que era a pedra que cobria a entrada para as masmorras.

Uma a uma, as crianças tentaram levantar a pedra, mas sem sucesso. Então, o Júlio atou uma corda à argola e os quatro puxaram ao mesmo tempo, com quanta força tinham.

E a pedra mexeu-se!

— Todos juntos, mais uma vez! — gritou o Júlio.

Voltaram a fazer força em conjunto. A pedra mexeu--se mais um bocadinho e, ao fim de algum tempo, acabou por se soltar. Caíram os quatro no meio do chão, uns em cima dos outros, como pedras de dominó, e o *Tim* saltou logo para o buraco e desatou a ladrar lá para dentro, como se albergasse todos os coelhos do mundo!

O Júlio e a Zé levantaram-se num ápice e correram para a abertura que a pedra tapara durante tantos anos. E ali ficaram, a olhar para baixo, com as faces a brilhar de alegria. Tinham encontrado a entrada das masmorras! Umas escadas íngremes, talhadas na própria rocha, abriam caminho para a escuridão do interior.

— Vamos! — berrou o Júlio, de lanterna em punho. — Encontrámos o que queríamos! E agora... vamos para as masmorras!

Os degraus eram escorregadios. O *Tim* entrou primeiro, perdeu o equilíbrio e desceu uns cinco ou seis degraus a rebolar e a latir, cheio de medo. O Júlio foi atrás dele, seguido pela Zé, e depois pelo David e pela Ana. Estavam todos delirantes... quase esperavam dar logo com pilhas e pilhas de ouro e outros tesouros, ali mesmo à espera deles!

Estava muito escuro e cheirava a mofo. A Ana sentiu--se ligeiramente indisposta.

— Espero que o ar seja respirável lá em baixo. Às vezes não é, nestes sítios subterrâneos. Se alguém começar a sentir-se esquisito, é melhor avisar logo, para regressarmos ao ar livre — avisou o Júlio.

Mas, por muito esquisitos que pudessem sentir-se, ninguém se ia queixar... estavam demasiado entusiasmados para se preocuparem com essas coisas.

As escadas pareciam não ter fim; mas, de súbito, acabaram. O Júlio desceu o último degrau de pedra e apontou a lanterna à sua volta. E o que viu era bastante invulgar: as paredes das masmorras eram a própria rocha — se se tratava de grutas naturais ou talhadas por mão humana, era impossível dizer. Mas eram certamente muito misteriosas, sombrias e cheias de eco. Quando o Júlio suspirou de entusiasmo, o som penetrou nas profundezas da rocha, cresceu e ecoou como se estivesse vivo. As crianças não acharam grande piada.

— Não é estranho? — sussurrou a Zé.

O eco sugou imediatamente as palavras, multiplicou--as e ampliou-as — e todas as grutas das masmorras devolveram a frase, vezes sem conta: não é estranho, NÃO É ESTRANHO, NÃO É ESTRANHO...

A Ana ficou muito assustada e deu a mão ao David. Não estava a gostar nada do eco. Sabia o que era, mas dava mesmo a ideia de que havia várias pessoas escondidas nas masmorras!

— Onde é que acham que os lingotes podem estar? — perguntou o David.

E as grutas responderam-lhe de imediato: LINGOTES! PODEM ESTAR! LINGOTES PODEM ESTAR! ESTAR! ESTAR!

O Júlio riu-se, e o riso transformou-se numa miríade de gargalhadas diferentes, que vinham do fundo das masmorras e ecoavam à volta das crianças. Era mesmo estranho.

— Vamos avançar. Talvez o eco diminua mais para o fundo — desejou o Júlio.

— MAIS PARA O FUNDO! MAIS PARA O FUNDO! — respondeu o eco. — FUNDO!

Foram-se afastando dos degraus na rocha e explorando as masmorras em redor. De facto, não passavam de grutas por baixo do castelo, umas a seguir às outras. Talvez alguns desgraçados tivessem sido ali aprisionados noutros tempos, mas o mais certo é que tivessem servido para armazenar alguma coisa.

— Pergunto-me em qual delas terão guardado os lingotes... — disse o Júlio.

Parou para olhar para o mapa. Tirou-o do bolso das calças e iluminou-o com a lanterna, mas, embora o local estivesse bem assinalado, era difícil perceber em que direção seguir.

— Vejam! — gritou o David, de repente. — Esta aqui tem uma porta! Aposto que é a masmorra de que andamos à procura! Aposto que os lingotes estão aqui!

13. NAS MASMORRAS

Quatro lanternas foram imediatamente apontadas para a porta de madeira, e as crianças viram que era grande e sólida, com uns enormes pregos de ferro. O Júlio soltou um grito de satisfação e correu para ela, certo de que do outro lado ficava a masmorra que servia de armazém.

Mas a porta estava bem fechada, e não abriu nem depois de uns belos empurrões. A fechadura era imponente, mas não havia sinais da chave. Ficaram a olhar para ela, irritadíssimos. Que frustração, agora que estavam tão perto dos lingotes, a porta não se abria!

— Vamos buscar o machado! — lembrou-se o Júlio. — Podemos fazer uns cortes à volta da fechadura, para dar cabo do trinco.

— Ora aí está uma boa ideia! — exclamou a Zé. — Vamos lá acima num instante.

Deixaram a porta aberta para trás e puseram-se a caminho das escadas. Mas as masmorras eram tão amplas e sinuosas que eles se perderam. Enquanto tentavam encontrar o caminho de regresso até aos degraus escavados na rocha, tropeçaram em velhos barris partidos, madeira podre, garrafas vazias e muitas outras coisas.

— É exasperante! — exclamou finalmente o Júlio. — Não faço a mínima ideia de como chegar à saída. Andamos de um lado para o outro, passamos de uma masmorra para outra, e são todas iguais: escuras, malcheirosas e misteriosas!

— E se tivermos de ficar aqui o resto da vida? — perguntou a Ana, sombriamente.

— Não sejas parva! — respondeu o David, dando-lhe a mão. — Vais ver que já damos com o caminho. Ora, ora... o que é isto?

Pararam todos. Tinham chegado a uma coisa que parecia uma chaminé de tijolo, que ia do chão ao teto. O Júlio apontou para lá a lanterna, perplexo.

— Já sei o que é! — disse a Zé, de repente. — É o poço, pois então! Lembrem-se de que aparecia tanto no mapa das masmorras como no da parte de baixo do castelo. Vem por aqui abaixo, sabe-se lá até onde. Pergunto-me se terá alguma abertura a este nível, para se poder tirar água tanto aqui como lá em cima.

Foram inspecionar. Do outro lado havia uma abertura suficientemente grande para uma criança conseguir enfiar a cabeça e os ombros e olhar para baixo. Apontaram as lanternas em todas as direções. Mas o poço era tão profundo que nem dali se via o fundo. O Júlio voltou a deixar cair uma pedra, mas, mais uma vez, não se ouviu nada.

Virou a cabeça para cima e conseguiu ver uma nesga de luz a rodear a laje partida onde o *Tim* caíra.

— Sim, é mesmo o poço. Não é estranho? Mas, agora que o encontrámos, sabemos que as escadas não podem estar longe!

Ficaram logo mais animados. Deram as mãos e continuaram a percorrer a escuridão, apenas quebrada aqui e ali pelo brilho das lanternas.

Até que a Ana gritou, doida de alegria:

— É ali a entrada! Só pode ser, porque estou a ver luz vinda de cima!

E, na verdade, ao virar da esquina, acharam as escadas íngremes que os levariam à superfície. O Júlio olhou bem em volta, para assegurar que se lembrariam do caminho quando regressassem, uma vez que nada garantia que conseguissem tornar a encontrar a porta.

Subiram rumo à luz do sol. E foi maravilhoso voltar a sentir o calor na cabeça e nos ombros depois de tanto tempo no ar frio das masmorras. O Júlio olhou para o relógio e soltou uma exclamação:

— São seis e meia! *Seis e meia*! Não admira que tenha tanta fome! Nem lanchámos! Estivemos no pátio e perdidos lá em baixo durante horas.

— Pois, antes de mais é melhor fazermos um lanche ajantarado. Parece que não como há meses! — propôs o David.

— Grande lata! Ao almoço comeste o dobro de qualquer um de nós! — começou o Júlio, indignado.

Mas depois sorriu.

— Sinto o mesmo. Vamos preparar uma refeição a sério! Zé, e se fervêssemos água para fazer chocolate quente? Ficámos tanto tempo lá em baixo que estou cheio de frio.

Divertiram-se imenso a fazer a fogueira para aquecer a chaleira. Sabia mesmo bem estar ali a aproveitar os últimos raios de sol e a comer pão com queijo, bolo e biscoitos... Estavam os quatro felizes da vida. O *Tim* também se fartou de comer. Não tinha gostado nada das masmorras, e manteve-se sempre colado às crianças, com a cauda baixa. E também ficara muito assustado com o efeito peculiar do eco.

Ladrara uma vez e achara que as masmorras estavam cheias de cães, todos a ladrar mais e mais alto do que ele. Nem voltou a atrever-se a ganir! Mas agora estava outra vez feliz, comendo as migalhas que as crianças lhe davam e dando lambidelas à Zé a toda a hora.

Já passava das oito da noite quando acabaram de comer e limpar tudo. O Júlio olhou para os outros. O Sol estava pôr-se e a temperatura arrefecera.

— Bem, não sei o que acham, mas a mim não me apetece mesmo nada voltar às masmorras hoje, nem para arrombar aquela porta com o machado. Estou todo partido e não me agrada a ideia de me perder lá em baixo durante a noite.

Todos concordaram plenamente, sobretudo a Ana, que, embora não o confessasse, estava cheia de medo de descer às masmorras ao cair da noite. Além disso, mal conseguia manter os olhos abertos — estava completamente de rastos, depois de um dia de tanto trabalho e excitação.

— Anda daí, Ana — disse a Zé, ajudando-a a levantar-se. — Horas de ir para a cama! Vamos dormir descansadas no quartinho, em cima das mantas, e amanhã teremos o prazer de abrir a grande porta de madeira!

Foram os quatro, com o *Tim* atrás, até ao quarto do castelo. Instalaram-se confortavelmente nas camas improvisadas, com o *Tim* a juntar-se à Zé e à Ana. Ficou aos pés, mas era tão pesado que a Ana teve de o empurrar.

Voltou a deitar-se em cima das pernas dela e ela resmungou, já meio a dormir. O *Tim* abanou a cauda, que foi bater com muita força nos tornozelos... da Ana, mais uma vez. A Zé teve de o puxar para o pé de si, ficando a sentir-lhe a respiração quente. Sentia-se tão feliz! Estava a dormir na sua ilha; tinha a certeza de que estavam prestes a descobrir os lingotes; e tinha o *Tim* com ela, a dormir mesmo ao lado! Afinal, talvez ficasse tudo bem.

Adormeceram sem dificuldade — sentiam-se seguros com o *Tim* de guarda — e dormiram profundamente até de manhã. Foi o *Tim* que os acordou: viu um coelho na arcada quebrada que ia dar ao quarto e foi atrás dele a toda a velocidade. Despertou a Zé quando saltou da manta, e ela sentou-se logo, a esfregar os olhos.

— Acordem! Vá, acordem todos! Já é de manhã e estamos na ilha!

Obedeceram-lhe de imediato — era tão bom estar ali e recordar tudo o que acontecera no dia anterior! O Júlio lembrou-se logo da grande porta de madeira.

«Não tarda, vou dar cabo dela com o machado», pensou, convicto.

O que encontrariam do outro lado?

Tomaram o pequeno-almoço, e comeram tanto como de costume. Depois, o Júlio pegou no machado e conduziu os outros até aos degraus no pátio do castelo. O *Tim* também foi, a dar ao rabo, mas nada entusiasmado com a perspetiva de regressar àquele sítio estranho onde parecia haver outros cães a ladrar, embora não se visse nenhum. Pobre *Tim*, jamais compreenderia o que é um eco!

Desceram de novo às masmorras e, como seria de esperar, não conseguiram encontrar o caminho para a porta. Ficaram furibundos.

— Vamos perder-nos outra vez! — exclamou a Zé, já em desespero. — Estas masmorras são o maior e mais confuso labirinto subterrâneo que já vi! Se não temos cuidado, voltamos a não conseguir dar com a saída!

Então, o Júlio teve uma ideia brilhante: trazia um pedaço de giz no bolso e tirou-o para fora. Regressou às escadas e assinalou-as com uma cruz. Depois, fez marcas em todas as paredes por onde iam passando no meio da escuridão bafienta. Quando chegaram ao poço, disse, satisfeito:

— Pronto! Sempre que voltarmos ao poço, já não vamos ter problemas em encontrar o caminho de volta aos degraus. É só seguir o giz! E agora... por onde vamos? Temos de ir tentando várias opções, e eu vou assinalando os sítios por onde passarmos; se chegarmos à conclusão de que nos enganámos, não se esqueçam de me avisar para eu apagar as marcas antes de seguirmos por outro caminho!

Era uma ideia excelente. Começaram logo por um caminho que não conduzia a porta nenhuma, mas regressaram ao poço e tiveram o cuidado de ir apagando os sinais na parede. Depois partiram na direção oposta, e desta vez deram com a porta de madeira!

Ali estava ela, possante e sólida, com os seus pregos de ferro, vermelhos por causa da ferrugem. As crianças contemplaram-na, muito contentes, e o Júlio pegou no machado. Lançou-o sobre a zona da fechadura, mas, como a madeira era resistente, a lâmina só conseguiu penetrar alguns centímetros. O Júlio fez uma nova tentativa, mas acertou num dos pregos e o machado quase lhe fugiu das mãos. Em consequência, soltou-se uma lasca enorme, que voou e atingiu o David em cheio na bochecha!

O rapaz soltou um grito de dor. O Júlio sobressaltou-se, assustado, e virou-se para o irmão. O David estava a escorrer sangue da cara!

— Saltou alguma coisa da porta e atingiu-me. Uma lasca, acho eu.

— Oh, não! — lamentou o Júlio, enquanto virava o foco da lanterna para o David. — Vou tirá-la. Consegues aguentar? É grande. E ainda está espetada.

Mas o David conseguiu retirá-la sozinho. Fez uma careta de dor e ficou muito pálido.

— É melhor ires apanhar um bocado de ar — propôs o Júlio. — E vamos ter de te limpar e estancar a ferida.

A Ana tem um lenço limpo, podemos usá-lo. Ainda bem que trouxemos água.

— Eu vou com o David — ofereceu-se a Ana. — Fica aqui com a Zé, Júlio, não é preciso irmos todos.

Mas o Júlio queria ter a certeza de que o David chegava bem à superfície. Só então o deixaria com a Ana, para vir ter com a Zé e continuar a tentar abrir a porta. Entregou o machado à prima.

— Continua a dar-lhe machadadas até eu regressar. Não vai ser nada fácil arrombar essa porta; podes ir adiantando serviço, que eu já volto. Encontramos o caminho de regresso na boa, só temos de seguir as minhas marcas de giz.

— OK! — respondeu a Zé, pegando no machado. — Pobre David, tens a cara numa lástima.

Deixando a Zé (e o *Tim*!) a tratar da porta, o Júlio levou o David e a Ana de volta ao ar livre. A Ana mergulhou o lenço na água e limpou a bochecha do David com muito cuidado. Continuava a sangrar muito, como é normal nas bochechas, mas a ferida era superficial. O rosto do David recuperou a cor, e, ao fim de pouco tempo, ele já queria regressar às masmorras.

— Nem penses! É melhor ficares um bocado deitado, por causa da ferida — ordenou o Júlio. — Porque é que não vais com a Ana até àquelas rochas de onde se vê o navio e ficam por lá uma horita ou duas a descansar? Venham, que eu vou até lá convosco e depois volto para trás. É melhor não te levantares até parares de sangrar.

O Júlio acompanhou-os para fora do pátio do castelo, rumo aos rochedos virados para o alto-mar. A silhueta escura do navio ainda se via nas rochas. O David deitou-se de costas, a contemplar o céu, desejando que a ferida estancasse depressa. Não queria perder pitada!

A Ana pegou-lhe na mão. Tinha ficado muito preocupada com o acidente, e, embora também não quisesse perder a diversão, ia ficar com o David até ele se sentir melhor. O Júlio sentou-se ao pé deles durante uns minutos, depois regressou à escada na rocha e desapareceu por ela abaixo. Seguiu as marcas de giz, e, ao fim de pouco tempo, já estava ao lado da Zé, que continuava a atacar a porta.

Tinha conseguido fazer bastantes mossas à volta da fechadura, mas a porta insistia em não ceder. O Júlio pegou no machado e investiu com força.

Ao fim de um ou dois golpes, algo pareceu acontecer ao trinco — ficou solto, a pender de um lado. O Júlio pousou o machado.

— Acho que já deve dar para abrirmos a porta — disse, numa voz excitada. — Sai da frente, *Tim*! E agora, Zé... vamos empurrar!

Com os dois a empurrar, o trinco cedeu com um estalido. A porta abriu-se a ranger por todos os lados, e as duas crianças entraram na masmorra, de lanterna em punho, sem conseguir conter o entusiasmo.

Na verdade, não passava de uma gruta escavada na rocha; mas lá dentro encontraram algo muito diferente dos barris e caixas velhas que tinham visto antes: ao fundo, em pilhas desordenadas, estavam uns objetos curiosos, em forma de tijolo e feitos de um metal baço e amarelado. O Júlio pegou num.

— Zé! Os lingotes! É ouro a sério! Eu sei que não parece, mas é! Zé, está aqui uma pequena fortuna… e é tua! Encontrámos os lingotes, Zé!

14. PRISIONEIROS!

A Zé nem conseguia falar. Limitou-se a olhar para os lingotes, com um na mão. Mal podia acreditar que aqueles objetos estranhos em forma de tijolo eram mesmo ouro. O coração batia-lhe muito depressa. Que descoberta incrível e maravilhosa!

De repente, o *Tim* começou a ladrar muito alto. De costas viradas para as crianças, mantinha os olhos fixos na porta e ladrava que nem louco.

— Caluda, *Tim*! O que é que estás a ouvir? São os outros dois que aí vêm? — disse o Júlio.

Foi até à porta e gritou cá para fora:

— David! Ana! São vocês? Despachem-se, que encontrámos os lingotes! Encontrámos mesmo! Vá, venham depressa!

O *Tim* parou de ladrar e começou a rosnar. A Zé ficou muito intrigada.

— O que é que se passará com o *Tim*? Não pode estar a rosnar ao David e à Ana!

Foi então que as duas crianças apanharam um valente susto, ao ouvirem uma voz de homem a ressoar nos corredores escuros, produzindo uma série de ecos estranhos.

— Quem está aí? Quem é que está aí ao fundo?

A Zé agarrou na mão do Júlio, a tremer de medo. O *Tim* continuou a rosnar, com o pelo do pescoço todo eriçado.

— Está calado, *Tim* — murmurou a Zé, ao mesmo tempo que apagava a lanterna.

Mas o *Tim* recusava-se a parar. Continuou a rosnar como se fosse uma tempestade em miniatura.

As crianças viram o feixe de uma lanterna potente a virar a esquina, e foram apanhadas pela luz. O portador da lanterna estacou, surpreendido.

— Ora, ora, ora! O que é que temos aqui? Duas crianças nas masmorras do meu castelo! — disse uma voz.

— O que é que quer dizer com o *seu castelo*? — gritou a Zé.

— Minha menina, o castelo é meu porque estou prestes a comprá-lo — respondeu a mesma voz.

Depois falou outra voz, mais áspera:

— O que é que estão aqui a fazer? E porque é que gritaram «David» e «Ana» e disseram que tinham encontrado os lingotes? Que lingotes são esses?

— Não respondas — segredou o Júlio à Zé.

Mas o eco captou as palavras e repetiu-as muito alto pelas masmorras: NÃO RESPONDAS! NÃO RESPONDAS!

— Ah, então não querem responder... — comentou o segundo homem, dando uns passos na direção das crianças.

O *Tim* arreganhou os dentes, mas o homem não pareceu nada assustado. Entrou pela porta dentro e iluminou o compartimento com a luz da lanterna. E assobiou, pasmado.

— Jake! Anda cá! Tinhas razão, o ouro está mesmo aqui! À mão de semear, e em lingotes! Inacreditável!

— Este ouro é meu — afirmou a Zé, furiosa. — A ilha e o castelo pertencem à minha mãe, tal como tudo o que cá esteja. O ouro foi aqui deixado pelo meu tetravô antes de o barco dele se afundar. Não é vosso, nem nunca vai ser! Mal chegue a casa, vou logo dizer aos meus pais o que encontrámos, e já não vão poder comprar nem o castelo nem a ilha! Foram muito espertos... descobriram o mapa na caixa e tudo, mas não foram mais espertos do que nós! Chegámos primeiro!

Os dois homens escutaram em silêncio a voz clara e irada da Zé. Um deles riu-se.

— Não passas de uma criança! Achas mesmo que vão conseguir evitar que levemos a nossa avante? Vamos comprar a ilha, e tudo o que cá está, e levamos o ouro daqui para fora quando tivermos assinado a escritura. E se por algum motivo não comprarmos a ilha, levamos o ouro à mesma. Vai ser canja trazer um navio e levar os lingotes até lá num barco qualquer. Está descansada que vamos conseguir tudo o que queremos...

— Ai não vão, não! — respondeu a Zé, saindo porta fora. — Vou já para casa… contar ao meu pai tudo o que acabaram de dizer!

— Minha linda, tu não vais a lado nenhum — disse o primeiro homem, empurrando-a de volta à gruta. — E já agora: se não queres que dê cabo desse maldito cão, é melhor arranjares maneira de o calar, está bem?

A Zé viu, horrorizada, que o homem tinha um revólver reluzente na mão. Em pânico, puxou o *Tim* pela coleira para junto de si.

— Está quieto, *Tim*. Está tudo bem.

Mas o *Tim* percebia que não estava tudo bem. Algo estava era muito mal. Continuou a rosnar ameaçadoramente.

— Agora escutem-me com atenção — continuou o homem, após uma breve troca de palavras em voz baixa com o companheiro. — Se tiverem juízo, não vos acontece nada de mal. Mas se insistirem em ser teimosos, irão arrepender-se. O que vamos fazer é o seguinte: vamo-nos embora no nosso barco a motor e vocês ficam aqui, bem trancados. Depois regressamos com um navio e levamos o ouro. Agora que já encontrámos os lingotes, não vale a pena comprar a ilha.

— E vocês vão mandar um recado aos vossos amigos lá em cima, a dizer-lhes que encontraram o ouro e a pedir-lhes que venham cá abaixo vê-lo — acrescentou o outro. — Depois fechamo-los a todos nesta mesma masmorra, para poderem brincar à vontade com os lingotes. Ficam com comida e bebida suficientes para se aguentarem até ao nosso regresso. Têm aqui um lápis — escrevam um bilhete ao David e à Ana, sejam eles quem forem, e mandem o vosso cão entregá-lo. Já!

— Não faço nada disso! Não faço mesmo! — reagiu a Zé, com o rosto vermelho de fúria. — Não podem obrigar-me a atrair o David e a Ana até aqui para os prenderem! E também não vou deixar que fiquem com o meu ouro, agora que o encontrei!

— Damos um tiro ao teu cão se não fazes imediatamente o que estamos a mandar— interrompeu o primeiro homem.

A Zé sentiu um aperto no coração e ficou petrificada.

— Oh, não... não... — disse muito baixinho, em desespero.

— Pois, é melhor escreveres o raio do bilhete. E depressa... — ordenou o homem, estendendo-lhe um pedaço de papel e um lápis. — Eu digo-te o que tens de escrever.

— Não consigo! — soluçou a Zé. — Não quero dizer ao David e à Ana para virem e depois serem feitos prisioneiros!

— Nesse caso, vou já despachar o cão — ameaçou o homem com frieza, apontando o revólver ao *Tim*. A Zé abraçou-se a ele e deu um grito:

— Não! Eu escrevo o bilhete! Mas não matem o *Tim*, não matem o *Tim*!

Pegou no papel e no lápis, com as mãos a tremer, e aguardou ordens.

— Escreve: «Queridos David e Ana. Encontrámos o ouro. Venham já para cá.» Depois assina com o teu nome, seja ele qual for!

A Zé escreveu tudo o que lhe disseram. E assinou. Mas, em vez de «Zé», escreveu «Maria José», na esperança de que os outros se lembrassem de que ela jamais assinaria assim e percebessem que era um aviso. O homem pegou no papel e prendeu-o à coleira do *Tim*. O cão não parava de ladrar, mas a Zé disse-lhe várias vezes que não mordesse.

— Agora diz-lhe que vá ter com os vossos amigos.

— *Tim*, vai ter com o David e a Ana — mandou a Zé. — Vai ter com eles e entrega-lhes o bilhete.

O *Tim* não queria deixar a Zé, mas sentiu a urgência na voz da dona. Olhou para ela uma última vez, lambeu-lhe as mãos e desatou a correr pelas masmorras. Sabia o caminho. Subiu as escadas num instante e viu-se ao ar livre. Parou no velho pátio, a farejar. Onde estariam o David e a Ana?

Apanhou-lhes o rasto e começou a caminhar, com o nariz colado ao chão. Não tardou a encontrar as duas crianças nas rochas. O David já se sentia melhor e estava sentado. A ferida parara praticamente de sangrar.

— Ei! — exclamou, surpreendido, quando viu o *Tim*. — Olha quem aqui está! *Tim*, porque é que vieste ter connosco? Fartaste-te de estar lá em baixo, no meio da escuridão?

— Repara, David, ele tem uma coisa qualquer enfiada na coleira — observou a Ana, cujos olhos perspicazes deram logo pelo pedaço de papel. — É um bilhete. Deve ser dos outros, a dizerem-nos para irmos ter com eles. Não é tão esperto?

O David retirou o papel da coleira do *Tim* e desdobrou-o.

— «Queridos David e Ana. Encontrámos o ouro. Venham já para cá. Maria José.» — leu em voz alta.

— Oh! — exclamou a Ana, com os olhos a brilhar. — Encontraram os lingotes! David, achas que já consegues ir lá abaixo? Vamos depressa!

Mas o David não se levantou. Ficou sentado, olhando para o recado com um ar intrigado.

— Que é que se passa? — perguntou a Ana, já impaciente.

— Tu não achas estranho que a Zé tenha assinado Maria José? — questionou o David. — Sabes como ela odeia ser rapariga e ter nome de rapariga. Nunca responde se a tratarem por Maria José, e agora assina isto com o nome que detesta... acho mesmo muito estranho. Até parece um aviso, a dizer-nos que há um problema qualquer.

— Oh, não sejas tonto, David. Que problema é que podia haver? Anda lá!

— Espera, Ana. Primeiro quero dar uma espreitadela à enseada para garantir que não está mais ninguém na ilha — disse o David. — Fica aí, que eu venho já.

Mas a Ana não queria ficar sozinha. Correu ao longo da costa com o irmão, sempre a dizer-lhe que achava que ele estava a ser parvo.

Quando chegaram ao pequeno porto natural, viram que havia lá outro barco, além do deles. Um barco a motor! Estava mais alguém na ilha!

Olha! — disse o David em voz baixa. — Temos visitas! E aposto que é o homem que quer comprar a ilha. De certeza que leu o mapa e descobriu que é aqui que está o ouro. E encontrou a Zé e o Júlio e está a ver se nos prende a todos nas masmorras até vir buscar os lingotes. Por isso é que a Zé nos mandou aquele bilhete e o assinou com o nome que nunca usa — para nos avisar! Temos de pensar bem, Ana. Que fazemos agora?

15. DAVID, O SALVADOR!

O David agarrou na mão da Ana e arrastou-a rapidamente para fora da baía. Receava que quem quer que estivesse na ilha andasse por perto e os visse. Conduziu a irmã até ao pequeno quarto onde tinham as coisas e sentaram-se os dois a um canto.

— Quem cá está deve ter apanhado o Júlio e a Zé a arrombar a porta — murmurou o David. — E não sei o que fazer. Não podemos descer às masmorras, senão também ficamos presos. Olha lá, para onde é que o *Tim* está a ir?

O *Tim* permanecera com eles por alguns instantes, mas dirigia-se agora à entrada das masmorras. Desapareceu pelas escadas abaixo — queria ir ter com a Zé, porque sabia que ela estava em perigo. O David e a Ana ficaram a olhar para ele. A presença do cão dera-lhes algum conforto, e lamentavam que se tivesse ido embora.

Não sabiam mesmo o que fazer. De repente, a Ana teve uma ideia:

— Já sei! Pegamos no barco e vamos a terra buscar ajuda!

— Também já pensei nisso — disse o David, cabisbaixo. — Mas nunca íamos conseguir acertar com o caminho por entre aquelas rochas, dávamos cabo do barco. E também tenho a certeza de que nós os dois não temos força suficiente para remar tanto. Quem me dera saber o que fazer!

Mas não tiveram muito tempo para puxar pela cabeça. Os dois homens saíram das masmorras e foram à procura deles! Tinham visto o *Tim* regressar sem o bilhete e ficaram a saber que as crianças o tinham recebido — só não percebiam porque é que não tinham feito o que a Zé lhes pedira.

O David escutou as suas vozes e fez sinal à Ana para que não se mexesse. Através da arcada, os dois irmãos viram que os homens se encaminhavam na direção oposta.

— Ana! Já sei onde é que podemos esconder-nos: no velho poço! — disse o David, cheio de entusiasmo. — Podemos descer um bocadinho pelas escadas e ficar à espera. De certeza que não se vão lembrar de procurar lá dentro!

A Ana não queria descer pelo poço, nem sequer um bocadinho. Mas o David ajudou-a a levantar-se e arrastou-a até ao centro do pátio. Os homens continuavam à procura, mas do outro lado do castelo, por isso tinham tempo para entrar no poço, embora não pudessem demorar-se muito. O David deslocou a velha tampa de madeira e ajudou a Ana a descer as escadas — a rapariga tremia de medo. Depois, o David começou também a descer e recolocou a tampa no local o melhor que pôde.

A laje onde o *Tim* caíra ainda lá estava, e o David trepou para cima dela e testou a sua resistência. Estava bem firme.

— Podes sentar-te aqui, Ana, se não quiseres continuar na escada — sussurrou.

E, assim, a Ana sentou-se, ainda trémula, na laje atravessada no poço, à espera de ver se seriam apanhados ou não. Continuaram a escutar as vozes dos homens lá em cima, umas vezes perto, outras mais distantes. Às tantas, começaram a chamar por eles.

— David! Ana! Os outros estão à vossa espera! Onde é que estão? Temos ótimas notícias para vocês!

— Nesse caso, porque é que não deixam o Júlio e a Zé virem ter connosco para nos dar essas boas notícias? — murmurou o David. — Há algo de errado nisto tudo, cada vez tenho mais a certeza. Quem me dera poder ir ter com o Júlio e a Zé para saber o que aconteceu!

Os dois homens chegaram ao pátio. Estavam mesmo zangados.

— Onde é que se terão enfiado os outros miúdos? — perguntou o Jake. — O barco deles ainda está na baía, por isso não saíram da ilha. Devem estar escondidos algures. Não podemos ficar à espera deles o dia todo!

— Vamos levar comida e bebida aos que estão presos lá em baixo — respondeu o outro homem. — É o que não falta naquele quartinho no castelo, suponho que foram os miúdos que trouxeram. Deixamos metade para os tais David e Ana e levamos o barco deles connosco, para não poderem escapar.

— Bem visto. Temos é de tirar o ouro daqui o mais depressa possível e garantir que os miúdos ficam bem presos até nos pormos a milhas. Já não nos interessa comprar nada disto... afinal de contas, foi só mesmo para encontrar os lingotes que nos passou pela cabeça adquirir a ilha e o castelo!

— Anda daí. Vamos levar-lhes a comida e deixamos de pensar nos outros dois. Mas fica aqui a ver se os vês em algum lado enquanto eu vou lá abaixo.

O David e a Ana mal se atreveram a respirar durante todo este diálogo. Só esperavam que os homens não se lembrassem de espreitar para dentro do poço! Ouviram um deles a dirigir-se ao quartinho de pedra para ir buscar os mantimentos. O outro ficou ali no pátio, assobiando baixinho.

Após o que pareceu às crianças uma eternidade, o primeiro homem regressou. Ficaram a conversar por uns instantes, mas lá acabaram por seguir para a enseada, onde o David conseguiu ouvir o barulho do motor do barco a ligar.

— Já podemos sair, Ana. Já viste o frio que aqui está? Vai ser bom regressar ao calor do sol.

Treparam escada acima até à superfície e ficaram a desfrutar o sol por uns instantes. Ao longe, via-se o barco a motor dirigindo-se a terra.

— Bem, por ora, foram-se — disse o David. — E não levaram o nosso barco, como tinham dito. Se ao menos conseguíssemos libertar o Júlio e a Zé, podíamos ir buscar ajuda. Mas precisamos mesmo da Zé para remar!

— E porque é que não vamos soltá-los? Não podemos descer pelas escadas e destrancar a porta? — questionou a Ana.

— Não dá — respondeu o David. — Olha!

A Ana olhou para onde ele apontava. Os dois homens tinham tapado a entrada das masmorras com umas pedras enormes e muito pesadas. Tinham-nas arrastado com grande esforço, e era completamente impossível ao David e à Ana tirá-las de lá.

— Não vai dar para descer pelas escadas — lamentou o David. — Aqueles tipos não brincam! E nós não sabemos onde fica a outra entrada, só que é para os lados da torre.

— Vamos ver se a encontramos — propôs a Ana, num tom decidido.

Foram até à torre do lado direito do castelo, mas estava fora de questão encontrar ou usar qualquer entrada que pudesse ter existido por ali no passado. Aquela zona do castelo encontrava-se particularmente degradada, havia pedras amontoadas por toda a parte e nem sequer dava para passar por elas. As crianças desistiram da busca ao fim de pouco tempo.

— Isto é horrível! — exclamou o David. — O Júlio e a Zé estão presos lá em baixo, e nós não podemos ajudá-los! Oh, Ana... não consegues pensar em nada?

A Ana sentou-se numa pedra e refletiu sobre o assunto. Estava muito preocupada. De súbito, animou-se e virou-se para o irmão.

— David! Achas que podíamos… quer dizer, achas que seria *possível*… descermos pelo poço? Não dá, pois não? Como passa pelas masmorras e há lá aquela aberturazinha onde enfiámos a cabeça para olhar para cima e para baixo… lembras-te? Basta conseguirmos passar pela laje — aquela onde estivemos agora, que caiu e ficou atravessada!

O David ponderou o assunto. Foi até ao poço e olhou para baixo.

— Sabes… és capaz de ter razão, Ana. Acho que dá para passar pela laje, nem que seja à justinha. Só não sei é até onde vai a escada.

— Vamos tentar. É a única hipótese que temos para salvar o Júlio e a Zé.

— Está bem. Mas vou só eu. Tu ficas, Ana. Não te quero a cair pelo poço abaixo. A escada pode estar partida a meio; ainda acontece alguma coisa. É melhor ficares aqui, que eu vou ver o que posso fazer.

— Mas vais ter cuidado, não vais? — perguntou a Ana, muito ansiosa. — Leva uma corda. Assim, se precisares de uma, escusas de voltar cá acima.

— Boa ideia! — respondeu o David.

Foi ao quartinho buscar uma das cordas que lá tinham deixado. Enrolou-a à volta da cintura e regressou para junto da Ana.

— Aqui vou eu! — anunciou, numa voz confiante. — Não te preocupes, vai correr tudo bem.

A Ana estava muito pálida. A ideia de que o David pudesse cair pelo poço abaixo aterrorizava-a. Observou-o a descer pelas escadas de ferro até à laje de pedra e a fazer tudo para passar por ela — era muito difícil, mas acabou por conseguir, e a Ana deixou de o ver. Mas continuava a ouvi-lo, porque ele foi sempre falando com ela.

— As escadas continuam resistentes, Ana! Está tudo bem. Consegues ouvir-me?

— Consigo! — gritou a Ana para dentro do poço, com a voz a ecoar pelas paredes côncavas. — Tem cuidado, David! A escada vai até lá abaixo?

— Acho que sim — berrou o David em resposta.

Mas logo a seguir soltou uma exclamação bem audível.

— Oh, não! Está partida! Ou caiu o resto, ou acaba aqui. Vou ter de usar a corda.

Seguiu-se um período de silêncio, enquanto o David desenrolava a corda da cintura. Atou-a com firmeza ao penúltimo degrau, que parecia mais resistente.

— Vou descer pela corda agora! — gritou para a Ana. — Não te preocupes, está tudo bem! Aqui vou eu!

A partir daí, a Ana deixou de o ouvir bem, porque as palavras chegavam até ela completamente distorcidas e não as conseguia distinguir. Mas bastava-lhe saber que ele estava a falar com ela, embora não percebesse nada. Continuou a gritar em resposta, na esperança de que ele a ouvisse.

O David deslizou pela corda, bem preso pelas mãos, joelhos e pés, e dando graças a Deus por ser tão bom aluno a ginástica. Perguntava-se se já estaria perto das masmorras, parecia-lhe que já tinha descido imenso. Conseguiu pegar na lanterna, ligou-a e prendeu-a entre os dentes, para manter as duas mãos livres para a corda. A luz da lanterna ia-lhe mostrando a parede do poço, mas continuava sem saber se já teria descido demais ou não. Não lhe apetecia nada ir mesmo até ao fundo do poço!

A certa altura, achou que já tinha passado a abertura; voltou a trepar pela corda e ficou encantado quando a viu mesmo por cima da cabeça. Subiu mais um bocadinho, até ficar ao mesmo nível, e balançou a corda até apanhar o rebordo de tijolo.

Foi difícil, mas felizmente o David era franzino e conseguiu esgueirar-se pela abertura. Pôs-se de pé, respirando de alívio. Estava nas masmorras! Agora era só seguir as marcas de giz até ao compartimento onde estavam os lingotes — e onde ele tinha a certeza de que o Júlio e a Zé se encontravam prisioneiros.

Apontou a lanterna para a parede e viu logo os sinais do Júlio! Ótimo! Enfiou a cabeça na abertura do poço e gritou a plenos pulmões:

— Ana! Já estou nas masmorras! Fica de vigia, não vão os homens regressar!

E começou a seguir as marcas, com o coração a palpitar. Ao fim de algum tempo, deparou-se com a porta da gruta que servia de armazém. Como seria de esperar, estava fechada, para que o Júlio e a Zé não conseguissem escapar. Os ferrolhos tinham sido corridos tanto em cima como em baixo, e era impossível abri-la por dentro. O Júlio e a Zé bem tinham tentado arrombá-la aos empurrões, mas sem sucesso.

Estavam os dois sentados no interior, furiosos e exaustos. Não tinham tocado na comida que os captores lhes haviam deixado. O *Tim* estava com eles, deitado com a cabeça entre as patas, muito zangado por a Zé não o ter autorizado a atacar os homens, como lhe apetecia. Mas a Zé tinha a certeza de que ele seria morto se os tentasse morder.

— O que vale é que os outros dois tiveram o bom senso de não vir cá para baixo e acabar presos como nós — disse ela ao Júlio. — Devem ter percebido que alguma coisa não estava bem quando viram que assinei como Maria José, em vez de Zé. Pergunto-me o que estarão a fazer. Devem ter-se escondido, suponho.

De repente, o *Tim* começou a rosnar. Levantou-se e foi para o pé da porta, com a cabeça à banda — tinha ouvido qualquer coisa.

— Espero que não sejam já aqueles homens de volta — desejou a Zé.

Depois apontou a luz da lanterna para o cão e ficou muito surpreendida — estava a abanar a cauda!

Uma grande pancada na porta fê-los dar um salto, tamanho foi o susto! Mas depois ouviram a voz alegre do David:

— Júlio! Zé! Estão aí?

— Ão-ão! — ladrou o *Tim*, ao mesmo tempo que desatava a arranhar a porta, muito contente.

— David, abre a porta! — gritou o Júlio, histérico. — Depressa, abre essa porta!

16. UM PLANO — E UMA FUGA ARRISCADA

O David destrancou a porta e abriu-a. Correu para o Júlio e para a Zé e deu-lhes umas palmadas calorosas nas costas.

— Olá! Então qual é a sensação de se ser salvo?

— É fantástica! — respondeu o Júlio, enquanto o *Tim* ladrava desalmadamente à volta deles.

A Zé sorriu para o David.

— Bom trabalho! O que é que aconteceu?

O David contou-lhes tudo em poucas palavras. Quando lhes disse que tinha descido pelo poço, o Júlio e a Zé mal conseguiram acreditar. O Júlio abraçou o irmão mais novo.

— És um herói! Um verdadeiro herói! E agora, depressa... o que fazemos?

— Se nos deixaram ficar o barco, vamos para terra a toda a velocidade! — respondeu a Zé. — Com gente que anda por aí com revólveres não se brinca. Venham, subimos pelo poço, e depois vamos logo para o barco.

Correram para o poço e passaram pela abertura estreita, um de cada vez. Depois treparam pela corda até chegarem às escadas de ferro. O Júlio insistiu em que subissem um a um, não fosse a escada ceder com o peso dos três.

Não tardou muito a que chegassem à superfície, onde encontraram a Ana, que distribuiu abraços por toda a gente, repetindo incessantemente, com os olhos marejados de lágrimas, o quão feliz estava por vê-los.

— Despachem-se! — apressou-os a Zé. — Vamos para o barco, depressa! Eles podem voltar a qualquer momento.

Precipitaram-se para a enseada onde tinham deixado o barco. E lá estava ele, exatamente onde o haviam largado, fora do alcance das ondas. Mas esperava-os um choque terrível.

— Levaram os remos! — gritou a Zé, desesperada. — Sabiam que não podemos fazer-nos ao mar sem eles. E tiveram medo de que tu e a Ana, David, fossem pedir ajuda. Por isso, em vez de se darem ao trabalho de rebocar o barco, limitaram-se a tirar os remos. E agora estamos tramados, não podemos ir a lado nenhum!

Foi um golpe violento. Estavam prestes a desatar a chorar. Depois da fantástica missão de salvamento do David, parecia que tudo ia finalmente entrar nos eixos; e agora viam outra vez a vida a andar para trás!

— Vamos raciocinar — disse o Júlio, sentando-se num local de onde poderia ver qualquer barco que se aproximasse da ilha. — Os homens foram-se embora, provavelmente para arranjarem um navio onde consigam levar os lingotes. Não regressam tão cedo, não se arranja um barco desses assim do pé para a mão. A não ser que tenham um, claro...

— E entretanto nós não podemos sair da ilha para ir procurar ajuda, porque eles têm os nossos remos — lamentou a Zé. — E nem sequer podemos fazer sinais a um barco que passe, porque ninguém vem para o mar com esta maré. Parece que só nos resta ficar aqui à espera que eles voltem para levar o meu ouro! E não podemos fazer nada para os impedir!

— Calma... estou a matutar num plano — interrompeu o Júlio. — Esperem só um bocadinho, deixem-me pensar bem.

Os outros ficaram calados, enquanto o Júlio dava voltas à cabeça, com uma expressão concentradíssima. Por fim, virou-se para eles e sorriu.

— Acho que vai funcionar. Oiçam! Vamos ficar aqui à espera que eles regressem. Qual vai ser a primeira coisa que vão fazer? Destapar a entrada para as masmorras e descer até lá abaixo. Aguardamos até que tenham chegado ao compartimento onde nos prenderam (e onde hão de pensar que ainda estamos) e deixamo-los entrar... E se um de nós estivesse escondido lá em baixo, pronto para os trancar a eles? Depois podemos agarrar no barco a motor — ou no nosso, se encontrarmos os remos — e trazemos ajuda.

A Ana achou que era um plano excelente. Mas o David e a Zé não ficaram lá muito convencidos.

— Teríamos de ir às masmorras e correr de novo os ferrolhos, senão percebem logo que já não estamos lá — disse a Zé. — E se quem ficar lá em baixo não conseguir fechá-los? Vai ser difícil, tem de ser tudo muito rápido. Arriscamo-nos a que um de nós torne a ficar prisioneiro e que eles venham à nossa procura depois.

— Tens razão — reconheceu o Júlio, pensativo. — Vejamos... se o David, ou quem lá for, não conseguir trancar a porta a tempo, aí eles voltam para aqui à nossa procura... Nesse caso, fazemos o seguinte: mal eles desçam, tapamos a entrada com as maiores pedras que conseguirmos carregar, como eles nos fizeram. Assim já não podem sair.

— E o David? — perguntou logo a Ana.

— Eu posso subir novamente pelo poço — retorquiu o David, entusiasmado. — Vou eu esconder-me nas masmorras. Dou o meu melhor para conseguir trancá-los ao pé dos lingotes e depois corro até à corda e subo. Eles nem fazem ideia de que existe essa saída. Por isso, mesmo que não fiquem presos naquela grutinha, ficam presos nas masmorras!

Discutiram o plano ao pormenor, e chegaram à conclusão de que era o melhor que podiam fazer. Até que a Zé sugeriu que se calhar era melhor comerem qualquer coisa — há horas que não comiam nada, e agora que a excitação de terem sido presos e depois libertados passara, apercebiam-se de que estavam mortos de fome!

Foram ao quarto buscar comida e comeram ali mesmo ao pé da enseada, sempre alerta, não fosse surgir o barco dos dois homens. Ao fim de duas horas, viram um grande barco de pesca à distância, e pouco depois conseguiram distinguir o barulho claro de um motor.

— Aí estão eles! — exclamou o Júlio, tão agitado que se pôs logo de pé. — O barco grande é para carregarem os lingotes e fugirem, e eles vêm no barco a motor! Depressa, David, vai para o poço e esconde-te até os ouvires nas masmorras!

O David saiu disparado e o Júlio virou-se para as raparigas.

— Vamos ter de nos esconder. Agora que a maré está baixa, podemos ficar ali, por trás daquelas rochas. Não me parece que vão perder tempo à procura do David e da Ana, mas nunca se sabe... Venham! Depressa!

Esconderam-se atrás das rochas, mesmo a tempo de ouvirem o barco a motor a chegar ao pequeno porto. Ouviram várias vozes, dava a ideia de que desta vez eram mais. Depois observaram os homens a deixar a enseada, rumo ao castelo em ruínas.

O Júlio espreitou por entre as rochas, para ver o que estavam a fazer. Percebeu que retiravam as lajes com que haviam tapado a entrada das masmorras para evitar que o David e a Ana os fossem salvar.

— Já podemos sair — disse, em voz baixa. — Acho que já estão a descer as escadas. Temos de repor aquelas pedras! Despachem-se.

A Zé, o Júlio e a Ana dirigiram-se apressadamente para o pátio do castelo. Viram que as pedras tinham sido desviadas e que homens haviam desaparecido. Era óbvio que tinham descido para as masmorras.

As três crianças fizeram tudo o que podiam para arrastar as pedras, mas não eram tão fortes como os homens e não conseguiram pegar nas mais pesadas. Limitaram-se a colocar três mais pequenas sobre a entrada, na esperança de que fosse mais difícil afastá-las por baixo.

— Espero que o David os consiga trancar atrás da porta! — disse o Júlio. — Agora, regressemos ao poço! O David vai ter de sair por lá; nunca ia ser capaz de se livrar daquelas pedras.

E assim fizeram. O David retirara a tampa de madeira, que estava agora no chão. Encostaram-se às paredes de pedra, ansiosamente à espera. Que estaria o David a fazer? Não conseguiam ouvir nada vindo do poço, e estavam mortos por saber o que se passava.

E lá em baixo passava-se muita coisa! Os dois homens, e um terceiro, tinham descido às masmorras, obviamente na esperança de encontrar o Júlio, a Zé e o *Tim* trancados junto dos lingotes. Haviam passado pelo poço sem fazer a mínima ideia de que estava lá um rapaz escondido, pronto para ir atrás deles.

O David ouviu-os a passar, esgueirou-se mais uma vez pela abertura estreita e seguiu-os sem fazer barulho. Conseguia vislumbrar o clarão das lanternas potentes à sua frente, e foi avançando pelos velhos corredores malcheirosos e pelas várias grutas que constituíam as masmorras, com o coração a bater muito depressa, até os homens chegarem ao corredor mais amplo onde se encontrava a gruta que servira de armazém.

— Aqui está ela! — ouviu o David a um deles, certamente a apontar a lanterna para a porta. — Aqui está o ouro! E os miúdos!

Os homens removeram os ferrolhos, que o David recolocara cuidadosamente, facto que o deixava bastante satisfeito naquele momento, pois, se não o tivesse feito, seria óbvio que a Zé, o Júlio e o *Tim* tinham escapado, e os homens ficariam de pé atrás.

Um deles abriu a porta e entrou de imediato. O segundo seguiu-o. O David aproximou-se o mais que achou prudente, à espera de que o terceiro também entrasse... em seguida trancá-los-ia lá dentro sem pensar duas vezes!

O primeiro a entrar apontou a lanterna para o interior e soltou uma exclamação de surpresa:

— Os miúdos desapareceram! Onde é que se enfiaram?

Foi então que o terceiro se juntou aos dois que já estavam lá dentro. O David não perdeu tempo e atirou com a porta. A pancada ecoou infernalmente pelas grutas e corredores das masmorras, e o rapaz, com as mãos a tremer, puxou atrapalhadamente pelos ferrolhos. Estavam perros e ferrugentos, não era nada fácil encaixá-los. E os homens não tardaram a reagir!

Mal escutaram a porta a bater, viraram-se de repente. O último a entrar conseguiu encostar logo o ombro à madeira para evitar que fechasse. O David estava quase a conseguir enfiar um dos ferrolhos quando os três homens empurraram a porta ao mesmo tempo, com toda a força... e o ferrolho cedeu!

O David reparou, horrorizado, que estavam quase a conseguir abrir a porta. Deu meia volta e fugiu a toda a pressa pelo corredor escuro. Os homens ainda o conseguiram ver com as lanternas, e foram logo a correr atrás dele.

Mas ele conseguiu chegar ao poço. Felizmente, a abertura ficava do outro lado, por isso podia enfiar-se lá dentro sem ser apanhado pela luz das lanternas. O rapaz mal teve tempo de saltar para o interior antes que os três homens passassem por ali a correr. Nem desconfiaram que o fugitivo se enfiara naquele cilindro de tijolo... até porque não sabiam que havia ali um poço.

A tremer da cabeça aos pés, o David começou a subir pela corda que deixara pendurada na escada de ferro. Desatou-a assim que chegou às escadas, não fossem os homens descobrir a abertura e tentar também trepar por ali acima... Sem corda, era impossível.

Subiu as escadas o mais depressa que pôde e encolheu-se para passar pela laje perto do topo. Os outros estavam cá fora à espera.

E perceberam logo pela cara dele que nem tudo correra como previsto. Ajudaram-no rapidamente a sair para a superfície.

— Não serviu de nada. Não consegui. Rebentaram com a porta mesmo quando estava quase a conseguir trancá-la e vieram atrás de mim. Meti-me no poço mesmo no último instante — contou o David, ofegante por causa da subida.

— Estão a tentar sair por ali, vejam! — disse a Ana, de repente, apontando para a entrada onde tinham deixado as pedras. — O que é que fazemos? Vão apanhar-nos!

— Já para o barco! — gritou o Júlio, puxando a Ana pela mão. — Depressa! É a nossa única hipótese. Eles podem conseguir tirar as pedras!

As quatro crianças saíram disparadas pelo pátio. Quando passaram pelo quartinho no castelo, a Zé deu uma corrida e apanhou o machado, sem que o David percebesse para quê. O *Tim* acompanhou-os, sempre a ladrar.

Chegaram à pequena enseada. O barco a remos continuava lá... mas sem os remos. O barco a motor estava ao lado. A Zé espreitou lá para dentro e deu um grito de alegria.

— Estão aqui os remos! Toma, leva-os tu, Júlio, que eu tenho de fazer uma coisa. Lancem o barco à água. Depressa!

O Júlio e o David pegaram nos remos e depois arrastaram o barco, ainda sem saber o que teria a Zé ficado a fazer. Do barco a motor vinham uns barulhos estranhíssimos!

— Zé! Zé! Anda lá! Os homens conseguiram sair — bradou o Júlio, de repente.

Tinha-os visto a correr para o penhasco que ia dar à baía. A Zé deixou o barco a motor e juntou-se aos primos num pulo. Empurraram o barco até à água, e a Zé pegou logo nos remos e remou com toda a força que tinha e mais alguma.

Os três homens correram para o barco a motor. Mas pararam de repente, estupefactos: a Zé destruíra-o por completo! Tinha dado machadadas violentas no motor, e era agora impossível pô-lo a trabalhar! Não havia maneira de os três o repararem com as ferramentas de que dispunham.

— És uma miúda execrável! — gritou o Jake, ameaçando a Zé com o punho. — Espera até que eu te ponha as mãos em cima!

— Fico à espera — berrou a Zé em resposta, com um perigoso brilho azul nos olhos. — E vocês também ficam. Agora não podem sair da ilha!

17. O FIM DE UMA GRANDE AVENTURA

Os três homens ficaram na areia, a ver a Zé conduzir o barco com firmeza rumo a terra. Estavam de mãos atadas, com o barco completamente inutilizado.

— O barco de pesca que trouxeram é demasiado grande para entrar na enseada — comentou a Zé, enquanto remava energicamente. — Vão ter de ficar ali até que alguém os vá buscar com um barco mais pequeno. Devem estar fulos!

Quando passaram ao largo do barco de pesca, foram abordados por um homem.

— Ó de bordo! Vêm da ilha de Kirrin?

— Não respondam! — ordenou a Zé. — Não digam nada!

E assim ficaram calados, a olhar para o outro lado, como se não tivessem ouvido nada.

— Ó de bordo! — repetiu ele, a perder as estribeiras. — São surdos? Vêm da ilha?

As crianças mantiveram-se em silêncio e continuaram a olhar para o lado enquanto a Zé remava sem parar.

O homem no barco de pesca desistiu e lançou um olhar preocupado para a ilha. Não tinha grandes dúvidas de que as crianças vinham de lá, e sabia o suficiente acerca das atividades dos comparsas para se interrogar se estaria tudo bem.

— Ele pode pegar num bote para ir ver o que aconteceu — disse a Zé. — Mas não pode fazer muito mais do que trazer os outros e meia dúzia de lingotes. Não acredito que se arrisquem a roubar o que quer que seja, agora que conseguimos escapar e vamos contar a toda a gente o que se passou.

O Júlio virou-se para trás e ficou a observar o barco de pesca. Ao fim de algum tempo, viu um pequeno bote a ser lançado ao mar.

— Tinhas razão, Zé. Já perceberam que aconteceu alguma coisa e vão buscar os outros três. Que pena!

Entretanto, chegaram à costa. Saltaram logo para a água e puxaram o barco até à areia. O *Tim* também ajudou a puxar a corda, enquanto dava ao rabo, feliz da vida.

Adorava participar em tudo o que os seus amigos faziam!

— Vais levar o *Tim* ao Alf? — perguntou o David.

A Zé abanou a cabeça.

— Não, não há tempo a perder. Vamos já contar o que aconteceu. O *Tim* fica preso na cerca do jardim.

Dirigiram-se a toda a velocidade para o Casal Kirrin. A tia Clara estava a trabalhar no jardim e ficou muito surpreendida quando viu as crianças com um ar tão ansioso e desmazelado.

— Olá! Pensei que só regressavam amanhã ou depois! Aconteceu alguma coisa? O que é que o David tem na bochecha?

— Não é nada de especial — respondeu o David.

Os outros começaram a falar todos ao mesmo tempo.

— Tia Clara, onde é que está o tio Alberto? Temos uma coisa muito importante para lhe dizer!

— Mãe, tivemos uma aventura incrível!

— Tia Clara, temos tantas coisas para lhe contar! A sério que temos!

A tia Clara olhou para as crianças, cada vez mais admirada.

— Mas afinal o que é que aconteceu?

Virou-se na direção da casa e chamou o marido.

— Alberto! Alberto! As crianças querem contar-nos alguma coisa!

O tio Alberto apareceu, com um ar muito zangado, porque estava a meio do trabalho.

— O que é que se passa?

— Tio, é sobre a ilha de Kirrin — disse o Júlio, avidamente. — Aquele homem ainda não a comprou, pois não?

— Bem, está quase. Já assinei a minha parte, e ele assina a dele amanhã. Porquê?

— Tio, ele não vai assinar nada. Sabe porque é que queria comprar a ilha? Não era para construir hotel nenhum, era porque sabia que o ouro estava lá escondido!

— Que raio de disparate é esse?

— Não é nenhum disparate, pai! — interrompeu a Zé, indignada. — É verdade! Aquela caixa que lhe vendeste tinha um mapa do castelo lá dentro, e o mapa mostrava onde é que o meu tetravô escondeu os lingotes!

O pai da Zé estava a ficar muito espantado e irritado. Pura e simplesmente, não acreditava numa palavra! Mas a tia Clara viu pelas expressões sérias das crianças que algo de muito grave tinha de facto acontecido. E, de repente, a Ana começou a chorar! Tinha sido emoção a mais para ela, e nem queria pensar que o tio achava que estavam a inventar tudo!

— Tia Clara, é tudo verdade! — disse ela, ainda a soluçar. — O tio Alberto *tem* de acreditar em nós! Oh, tia Clara! O homem tinha uma pistola e prendeu o Júlio e a Zé nas masmorras, e o David teve de descer pelo poço para os ir salvar! E a Zé destruiu o barco a motor para eles não escaparem!

Nem a tia Clara nem o tio Alberto estavam a perceber patavina, mas o tio Alberto compreendeu que afinal o assunto era sério e merecedor de atenção.

— Destruiu o barco a motor! — repetiu. — Mas para quê? Venham lá para dentro. Quero ouvir essa história do princípio. Nem dá para acreditar!

Foram todos para dentro de casa. A Ana sentou-se ao colo da tia e ouviu a Zé e o Júlio a relatar tudo o que se passara. Foram claros e não se esqueceram de nada do que era importante. A tia Clara ficou muito pálida, sobretudo quando soube que o David tinha descido pelo poço.

— Podias ter morrido! Ó David, que corajoso!

O tio Alberto ouviu tudo, absolutamente perplexo. Nunca tivera grande paciência para crianças — sempre as achara barulhentas, cansativas e patetas. Mas agora, ao escutar o Júlio, mudou imediatamente de opinião... pelo menos em relação àquelas quatro!

— Foram incrivelmente espertos! E muito corajosos! Estou muito orgulhoso de vocês. Não admira que não quisesses vender a ilha, Zé, se já sabias dos lingotes. Mas porque é que não me disseram?

As quatro crianças olharam para ele sem responder. Não podiam propriamente dizer: «Para começar, não acreditavas em nós. Depois, tens tão mau feito e consegues ser tão injusto que temos medo de ti. Por último, não tínhamos a certeza de que farias o que tinha de ser feito.»

— Porque é que não respondem? — insistiu o tio.

A tia Clara respondeu por eles, numa voz serena:

— Alberto, querido, tu sabes que intimidas as crianças, por isso é normal que elas não se sintam à vontade para falar contigo. Mas agora que já sabes de tudo, podes ficar tu a tratar do assunto, que estes quatro já fizeram o que podiam. Tens de ligar à polícia para ver o que dizem.

— Tens razão — anuiu o tio Alberto.

Levantou-se para ir fazer o telefonema e deu uma palmadinha no ombro do Júlio.

— Saíram-se muito bem!

Depois despenteou os caracóis curtos da Zé.

— E também estou muito orgulhoso de ti, Zé!

— Oh, pai... — respondeu a Zé, corando de alegria e surpresa.

Sorriu-lhe e ele retribuiu-lhe o sorriso. As crianças repararam que ele ficava com uma expressão muito simpática quando sorria. Ele e a Zé eram tão parecidos! Ambos tinham uma expressão muito desagradável quando amuavam e franziam o sobrolho, mas quando riam ou sorriam, ficavam muito bonitos.

O pai da Zé foi telefonar à polícia e ao advogado. As crianças ficaram sentadas a comer biscoitos e ameixas, contando à tia Clara todos os pormenores que haviam omitido da primeira vez.

Enquanto estavam à mesa, ouviram um latido, alto e zangado, vindo do jardim. A Zé levantou os olhos.

— É o *Tim* — disse ela, olhando ansiosamente para a mãe. — Não tive tempo de ir levá-lo ao Alf, que tem tomado conta dele por mim. Mãe, o *Tim* foi tão espetacular lá na ilha... Desculpa ele estar a ladrar, mas deve estar cheio de fome.

— Vai buscá-lo e trá-lo cá para dentro — respondeu a tia Clara, para espanto de todos. — Também é um herói, merece uma boa refeição.

A Zé sorriu, feliz. Saiu porta fora para ir buscar o *Tim*. Soltou-o, e ele entrou a saltitar dentro de casa, sempre a abanar a enorme cauda. Deu uma lambidela à mãe da Zé e esticou as orelhas, como se a quisesse cumprimentar.

— Cãozinho lindo — disse ela, fazendo-lhe uma festa. — Vou arranjar-te qualquer coisa para comeres.

O *Tim* foi atrás dela para a cozinha e o Júlio sorriu para a Zé.

— Vê lá tu... a tua mãe é mesmo querida, não é?

— Sim. Mas não sei o que o pai vai dizer quando vir o *Tim* dentro de casa outra vez — respondeu a Zé, apreensiva.

Nesse mesmo instante, o tio Alberto regressou, com um ar muito grave.

— A polícia está a levar isto tudo muito a sério. E o meu advogado também. E acham que vocês foram incrivelmente corajosos e inteligentes. Zé, o advogado garante que os lingotes nos pertencem mesmo. São assim tantos?

— Pai! São às centenas! — exclamou a Zé. — Centenas e centenas — todos amontoados nas masmorras! Pai... isso quer dizer que agora somos ricos?

— Sim... suficientemente ricos para que tu e a tua mãe tenham tudo o que vos quis dar nestes anos todos e nunca pude. Tu sabes que me farto de trabalhar, mas não é um trabalho que dê muito dinheiro. Por isso é que me transformei numa pessoa irritadiça e sempre mal-humorada. Mas a partir de agora podes ter tudo o que quiseres!

— Não quero nada que já não tenha. Mas, pai, há uma coisa que eu gostaria acima de tudo, e não te vai custar um cêntimo!

— Então vai ser tua — respondeu o pai, colocando os braços à volta dos seus ombros, para grande surpresa da rapariga. — Só tens de pedir, e é teu!

Nesse preciso momento ouviram o som de patas no corredor. Uma enorme cabeça felpuda espreitou pela porta e ficou a olhar para todos com uma expressão inquiradora. Era o *Tim*, pois claro!

O tio Alberto olhou para ele, espantado.

— Não é o *Tim*? — perguntou. — Olá, *Tim*!

— Pai, o *Tim* é a coisa que eu mais quero no mundo — disse a Zé, agarrando no braço do pai. — Não dá para explicar o bem que nos fez lá na ilha. E por ele tinha atacado e lutado com aqueles homens horríveis! Pai, não quero mais presente nenhum, só quero ficar com o *Tim* e tê-lo aqui em casa. Agora já podemos construir uma casota como deve ser, e eu garanto que ele não te importuna... a sério que garanto!

— Claro que podes ficar com ele! — respondeu o tio Alberto.

O *Tim* entrou logo pela sala adentro, com a cauda a dar a dar, como se tivesse percebido tudo. Chegou até a lamber as mãos do tio Alberto — coisa que a Ana achou deveras corajosa!

Mas o tio Alberto estava mesmo diferente. Parecia que lhe tinha saído um peso enorme dos ombros. Agora eram ricos — a Zé podia ir para uma boa escola, a tia Clara podia ter todas as coisas que nunca lhe conseguira oferecer, e ele podia continuar a fazer o trabalho que adorava sem sentir que não ganhava o suficiente para dar uma boa vida à família. Estava radiante e transbordava simpatia!

A Zé também não cabia em si de contente por causa do *Tim*. Correu para o pai e abraçou-o, algo que não fazia há muito tempo. Ele foi completamente apanhado de surpresa, mas ficou muito feliz.

— Que bom! Oh, mas já é a polícia?

Era mesmo. Vieram até à porta e trocaram umas palavras com o tio Alberto. Depois um ficou para ouvir a história das crianças e tirar notas, e os outros seguiram de barco para a ilha.

Contudo, já não conseguiram apanhar os homens! Tinham sido levados no bote para o barco de pesca, e nenhum dos dois estava, obviamente, à vista. Mas o barco a motor ainda lá se encontrava, sem qualquer préstimo. Quando o viu, o inspetor não pôde evitar um sorriso.

— Aquela Maria José é mesmo uma rapariga valente! Deu de tal modo cabo do barco que é impossível usá-lo para sair daqui; e nós vamos ter de o rebocar até à costa!

Os polícias trouxeram alguns lingotes de ouro para mostrar ao tio Alberto. Selaram o compartimento para garantir que mais ninguém lá entraria até que o tio das crianças fosse buscar o ouro. Estava tudo a ser feito conforme as regras e meticulosamente… mas, na opinião das crianças, demasiado devagar! Por eles, os homens tinham sido apanhados na ilha e levados para a prisão — e o ouro trazido todo de uma vez… e de imediato!

Nessa noite estavam tão cansados que nem protestaram quando a tia Clara os mandou para a cama muito cedo. Vestiram os pijamas, e depois os rapazes foram comer qualquer coisa no quarto da Zé e da Ana. O *Tim* também lá estava, pronto para devorar qualquer migalha que caísse.

— Foi uma aventura fantástica — comentou o Júlio, já meio ensonado. — Por um lado, tenho pena que tenha chegado ao fim… Embora, verdade seja dita, tenha havido momentos que não me agradaram nada, sobretudo quando ficámos presos nas masmorras. Foi horrível!

A Zé mordiscava as bolachas de gengibre com um ar muito feliz. Olhou para os primos com um grande sorriso nos lábios.

— E pensar que eu detestei a ideia de vos ter por cá! Tencionava ser tão, mas tão desagradável convosco! Ia fazer com que só desejassem ter ficado em casa! E agora a única coisa que está a deixar-me triste é saber que vocês se vão embora no fim das férias. Depois de ter tido, pela primeira vez, três amigos, e de viver uma aventura como esta, vou ficar outra vez só comigo. Nunca me senti sozinha na vida, mas agora sei que vou sentir.

— Não, não vais — disse a Ana de repente. — Há uma coisa que podes fazer para nunca mais te sentires sozinha.

— O quê? — perguntou a Zé, surpreendida.

— Podes vir para a minha escola! É uma escola muito simpática, e podemos levar animais, por isso o *Tim* também pode vir.

— A sério? — exclamou a Zé, com os olhos a brilhar. — Então está bem! Sempre jurei que nunca iria para um colégio interno, mas agora sei que é muito melhor e mais divertido estarmos com outras pessoas do que sozinhos. E se posso levar o *Tim*, então é simplesmente perfeito!

— É melhor irem andando para o vosso quarto, rapazes — disse a tia Clara, que entretanto surgira à porta.

— Olhem só para o David, está podre de sono! Bem, hoje devem ter todos uns bons sonhos, cheios de orgulho da vossa aventura! Zé, é o *Tim* que está debaixo da tua cama?

— Ah, pois é! — retorquiu a Zé, fingindo-se muito surpreendida. — *Tim*, o que é que fazes aí?

O *Tim* rastejou de debaixo da cama e foi ter com a mãe da Zé. Deitou-se no chão e lançou-lhe um olhar suplicante com os olhos castanhos, ainda mais meigos do que o costume.

— Hoje queres dormir aqui no quarto das meninas, não é? — disse a tia Clara, com uma gargalhada. — Está bem, pode ser... mas só por hoje.

— *Mãe*! — gritou a Zé, exultante. — Obrigada, obrigada, obrigada! Como é que adivinhaste que esta noite não queria mesmo separar-me do *Tim*? Que bom, mãe! *Tim*, podes ficar ali naquele tapete!

As quatro crianças aconchegaram-se nas respetivas camas. A fantástica aventura chegara ao fim. Ainda tinham grande parte das férias pela frente — e agora que o tio Alberto já tinha dinheiro, seria mais descontraído e simpático. A Zé ia para a escola da Ana — e tinha o *Tim* novamente com ela em casa! A ilha e o castelo ainda eram da Zé... tudo perfeito!

— Estou tão feliz por a ilha de Kirrin não ter sido vendida, Zé — bocejou a Ana. — É tão bom que continue a ser tua!

— É de mais três pessoas, Ana. Agora pertence-me a mim, a ti, ao Júlio e ao David. Descobri que partilhar é bom. Por isso, amanhã vou fazer uma escritura, ou lá como é que se chama, e deixar registado que vos dou um quarto da ilha a cada um. A ilha de Kirrin e o castelo de Kirrin vão ser de nós todos!

— Ó Zé, que fantástico! Os rapazes vão ficar tão contentes! E eu estou tão fe…

Adormeceu antes de acabar a frase. E a Zé também. No outro quarto, os rapazes também já dormiam, a sonhar com lingotes, masmorras e toda a espécie de coisas emocionantes.

Só um permanecia acordado — o *Tim*. Tinha uma orelha levantada e escutava a respiração das crianças. Mal teve a certeza de que estavam todos a dormir, levantou-se do tapete e aproximou-se da cama da Zé. Estendeu as patas e cheirou a jovem dona.

Depois, saltou para a cama e aninhou-se-lhe entre as pernas. E soltou um suspiro de felicidade — as crianças estavam felizes, mas nenhuma estava tão feliz como o *Tim*!

— Oh, *Tim* — sussurrou a Zé, meio acordada agora que o sentia ao pé de si. — Oh, *Tim*, não devias fazer isso… mas sabe tão bem! *Tim*, vamos ter mais aventuras todos juntos, não vamos?

Claro que vão! Mas isso fica para outra história…